adomania 2

Méthode de français

Corina Brillant • Céline Himber

hachette
FRANÇAIS LANGUE ÉTRANGÈRE

www.hachettefle.fr

TV5MONDE

Crédits photographiques et droits de reproduction : voir la page 128.

Tous nos remerciements à :
– TV5MONDE et Évelyne Pâquier ;
– toute l'équipe du collège Massillon de Clermont-Ferrand, les collégiens et leurs parents ;
– Nelly Mous pour les pages DELF.

Couverture : Nicolas Piroux

Conception graphique : Anne-Danielle Naname – Sylvaine Collart pour les pages d'ouverture, Cultures et Ensemble pour.

Mise en pages : Anne-Danielle Naname

Secrétariat d'édition : Astrid Rogge

Illustrations : Aurélien Heckler. Pages 8, 10, 12, 13 (document 3), 15 (plan), 17 (plan), 20, 22, 38, 40, 43, 77, 81 (activité 7), 85, 90, 91, 98, 102 (document 2) : Gabriel Rebufello. Page 96 : Bruno David. Personnage récurrent : Christophe Le Guez.

ISBN 978-2-01-401523-2

© HACHETTE LIVRE, 2016
58, rue Jean Bleuzen, CS 70007, 92178 Vanves Cedex, France.

http://www.hachettefle.fr

Avant-propos

adomania est une méthode qui s'adresse à des adolescents débutant leur apprentissage du français comme langue vivante 1 ou 2.

Adomania 2 couvre la fin du niveau A1 et le début du niveau A2 du *Cadre européen commun de référence pour les langues* (CECRL). Prévu pour 50 à 60 heures de cours, le niveau 2 de la méthode prépare au DELF A1 et A2.

Adomania, apprendre ensemble

Pour aborder l'apprentissage d'une langue, la notion de groupe est importante : parce qu'une langue sert à **communiquer avec les autres** et parce que les élèves l'apprennent dans une classe, au contact d'autres élèves, et vivent cette aventure **ensemble**.

Pour donner envie aux adolescents d'apprendre le français et les mobiliser dans **une démarche collaborative**, *Adomania* leur propose **une perspective actionnelle** et les invite à franchir **8 étapes** successives, au parcours balisé de découvertes et d'activités à réaliser le plus souvent en interaction. Chaque étape aborde une thématique différente, proche de leur univers pour susciter leur intérêt, et se termine par la réalisation d'une **tâche collective** pour les maintenir dans **une dynamique d'action**.

Adomania, apprendre facilement

Adomania propose :

→ des parcours d'apprentissage courts et clairement repérables au sein des étapes : **1 leçon = 1 double page** ;

→ des **documents** – visuels, écrits et oraux (2 heures d'enregistrements) – **variés et centrés sur le vécu des adolescents**, pour aborder la langue de manière facile et vivante ;

→ un **travail sur la langue clair et contextualisé** qui s'accompagne d'**activités de systématisation** collaboratives ou individuelles, souvent ludiques, regroupées dans une double page d'entraînement ;

→ des **tableaux de langue** et des **encadrés de vocabulaire enregistrés** ;

→ une page « **Cultures** » inspirée de la presse ado et **adaptée au niveau de langue** des élèves ;

→ une **tâche collective facile à réaliser en classe** et proche des actions mises en œuvre par les ados dans la vie réelle ;

→ un **dispositif d'évaluation complet** avec une évaluation sommative des compétences en réception et en production à la fin de chaque étape et une évaluation de type DELF A1 et A2 toutes les deux étapes. Une évaluation formative (autoévaluation) est proposée en fin d'étape dans le cahier d'activités.

Adomania, composants et bonus

En bonus, pour chaque étape, *Adomania* offre aux élèves, curieux de découvrir la vie de collégiens français, **un documentaire vidéo original** en 8 séquences.

En complément de ce livre de l'élève, le **cahier d'activités** permet de réviser à l'écrit et à l'oral, de s'autoévaluer et de réfléchir sur sa façon d'apprendre (astuces et stratégies). Il propose également 8 pages de disciplines non linguistiques (DNL). Quant au **guide pédagogique**, il met à disposition les corrigés, des conseils pédagogiques et les fiches d'exploitation des vidéos réalisées en collaboration avec TV5MONDE.

Enfin, le manuel numérique enseignant propose **une fonctionnalité de classe virtuelle**, pour encore plus d'interactivité.

adomania est née de notre réflexion et de notre expérience de professeures de FLE. Nous espérons qu'elle vous aidera, vos élèves et vous, à partager, ensemble, des moments riches en vitamines FLE !

Les auteures

Mode d'emploi d'une étape

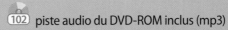 102 piste audio du DVD-ROM inclus (mp3)

💬 activité de production orale

action! micro-tâche

Une page d'ouverture active

- - - Activités d'échauffement

Objectifs pragmatiques   Tâche finale

Contrat d'apprentissage

Trois leçons d'apprentissage

Leçon 1 pour découvrir la thématique et le vocabulaire

Documents oraux et écrits - - -   Lexique essentiel de l'étape - - -

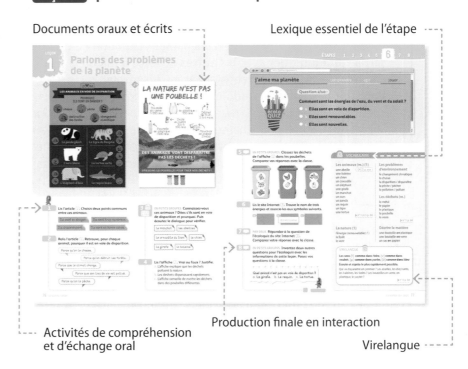

Production finale en interaction

- - - Activités de compréhension et d'échange oral

Virelangue - - -

Une double page « Cultures » et « Ensemble pour... »

- - - Rubrique culturelle en lien avec la thématique de l'étape

Activités de compréhension et d'échange - - -

Tâche collective finale - - -

Renvoi à la vidéo - - -

Activité de réflexion interculturelle

Co-évaluation de la tâche

DICO p. 115 renvoi au dico visuel en fin d'ouvrage

exercice d'entraînement collectif à faire en temps limité

VIDÉO renvoi à la vidéo correspondante du DVD-ROM inclus

→ Fiches d'exploitation des vidéos disponibles dans le guide pédagogique et sur le site de TV5MONDE : www.tv5monde.com rubrique « Enseigner ».

Leçons 2 et 3 pour approfondir la thématique et travailler la langue

Tableau de grammaire

Compréhension des documents

Activités de découverte de la langue

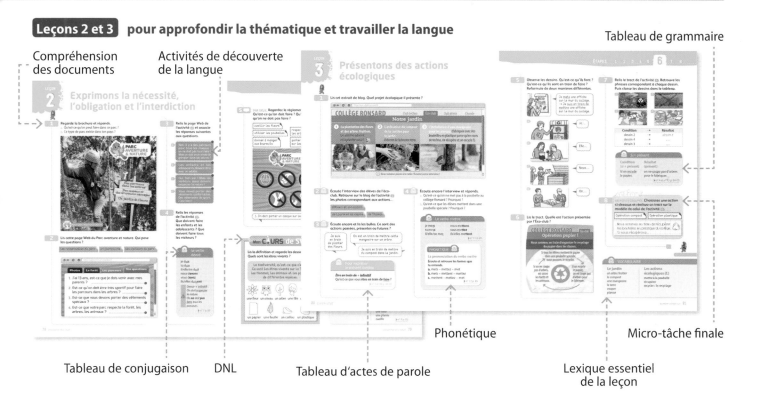

Phonétique

Micro-tâche finale

Tableau de conjugaison   DNL   Tableau d'actes de parole   Lexique essentiel de la leçon

Une double page « Entraînement »

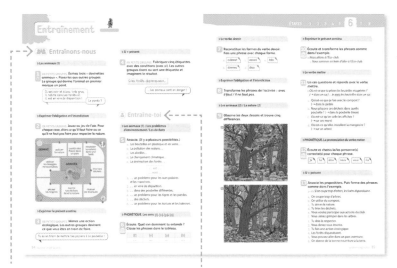

Exercices d'entraînement collectifs

Exercices d'entraînement individuels

Une page d'évaluation

Évaluation des compétences de compréhension (orale et écrite) et de production (orale et écrite). Notée sur 20 points.

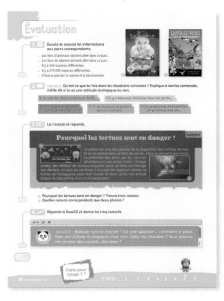

+ Une préparation au DELF A1 et A2 toutes les deux étapes

Tableau des contenus

	Apprenons à...	Communication	Grammaire
ÉTAPE 0 p. 8		• Être poli en classe • Échanger et parler de soi	• Différencier les noms, les pronoms, les adjectifs et les verbes
ÉTAPE 1 Sortons en ville ! p. 11	• Parler de nos déplacements en ville • Suivre un itinéraire en ville • Organiser une sortie **Tâche finale** → imaginer une ville idéale	• Parler de ses déplacements • Indiquer un itinéraire • Organiser une sortie	• Le verbe *prendre* • Le verbe *vouloir* • Les prépositions de lieu
ÉTAPE 2 Régalons-nous ! p. 23	• Parler de nos habitudes alimentaires • Préparer un anniversaire • Nous interroger sur notre alimentation **Tâche finale** → créer des stands pour la semaine du « bien manger » au collège	• Exprimer la fréquence • Exprimer une quantité • Poser une question sur la quantité	• Les verbes en -*ger* • Les articles partitifs • Les adverbes de quantité
ÉTAPE 3 Amis et solidaires p. 37	• Parler de l'amitié et de la personnalité • Parler de nos relations et de nos émotions • Parler de l'entraide et de la santé **Tâche finale** → organiser une grande fête de l'amitié et de la solidarité au collège	• Exprimer un avis contraire • Exprimer ses sensations et ses émotions • Expliquer une situation • Parler de la santé et des secours	• Les pronoms COD *le, la, les, l'* • Les verbes du 2e groupe
ÉTAPE 4 Informons-nous ! p. 49	• Parler de la presse et des médias • Raconter des faits divers • Faire des recommandations **Tâche finale** → créer la une du journal du collège pour la Semaine de la presse et des médias	• Donner son avis • Exprimer son étonnement • Situer un événement dans le passé • Poser une question formelle	• Le passé composé avec *avoir* • Quelques participes passés irréguliers • L'impératif négatif
ÉTAPE 5 Tous des héros ! p. 63	• Parler de héros réels ou imaginaires • Raconter la vie de quelqu'un • Raconter des expériences passées **Tâche finale** → créer un quiz sur des personnages célèbres	• Dire le siècle • Situer dans le temps • Indiquer la chronologie	• Les pronoms indéfinis *quelque chose, rien, quelqu'un, personne* • Le passé composé avec *être* • *Déjà, jamais, pas encore*
ÉTAPE 6 Respectons notre planète ! p. 75	• Parler des problèmes de la planète • Exprimer la nécessité, l'obligation et l'interdiction • Présenter des actions écologiques **Tâche finale** → faire un tutoriel pour réaliser un projet écologique	• Décrire la matière • Exprimer l'obligation et l'interdiction • Exprimer le présent continu	• Le verbe *devoir* • Le verbe *mettre* • *Si* + présent
ÉTAPE 7 L'argent et nous p. 89	• Parler d'argent de poche • Décrire des objets • Comparer des attitudes **Tâche finale** → faire un cadeau à la classe	• Décrire un objet • Comparer avec *plus* et *moins*	• La place des adjectifs • Les pronoms COI *lui, leur*
ÉTAPE 8 Regardons l'avenir p. 101	• Parler de notre orientation • Parler de nos passions et de nos qualités • Imaginer l'avenir **Tâche finale** → imaginer une profession du futur	• Dire la profession • Parler de ses passions • Décrire des qualités • Exprimer un désir	• Le verbe *savoir* • Le masculin et le féminin des professions • Le futur simple • Quelques verbes irréguliers au futur simple

Lexique	Phonétique	Mon cours de...	Cultures
• Quelques mots familiers			Découvrir la francophonie
• Les transports en ville • La sécurité • Les lieux de la ville • Le centre commercial	• L'accentuation en fin de mot • La prononciation du verbe *prendre*	**Géographie :** Strasbourg et l'Europe	Décorer la ville VIDÉO
• Les repas • Les aliments • Les boissons • L'anniversaire • Les ingrédients • Le fast-food	• Les sons [w] et [ɥ] • La prononciation du *h* : *h* muet / *h* aspiré	**Mathématiques :** Les quantités	Fous de bonbons ! VIDÉO
• Le caractère • Les sentiments • L'amitié • Les relations • Les sensations et les émotions • La santé	• Les sons [ʃ] et [ʒ] • L'élision	**Enseignement civique et moral :** La solidarité	Des actions de solidarité VIDÉO
• La presse et les médias • Les sujets d'actualité • Le fait divers • La télé • L'Internet	• Les sons [k] et [g] • Le passé composé et le présent	**Informatique :** Internet	Des émissions pour tous les goûts ! VIDÉO
• Les héros • Les événements historiques • Les nombres jusqu'à l'infini • La célébrité • La biographie • Le monde du spectacle • Être un héros	• Les sons [e] et [ɛ] • La prononciation du participe passé	**Histoire :** Les frères Lumière	Les vrais super-héros VIDÉO
• Les animaux • La nature • Les problèmes d'environnement • Les déchets • Le jardin • Les actions écologiques	• Les sons [f], [v], [p] et [b] • La prononciation du verbe *mettre*	**Sciences de la vie et de la Terre :** La biodiversité	Des énergies originales VIDÉO
• L'argent • Les objets • La technologie • Les formes géométriques • La description • Rendre service	• Le son [j] • La prononciation de *plus*	**Géométrie :** Les formes géométriques	Petites histoires d'argent VIDÉO
• Les professions • Les filières • L'orientation • Les arts • Le concours	• Les sons [d] et [t] • Le *e* caduc	**Mon option « découverte professionnelle »**	Profession : artiste VIDÉO

ANNEXES ▶ Dico visuel p. 115 à 119   Actes de parole p. 120-121   Précis grammatical p. 122 à 126   Tableau de conjugaisons p. 127

Testons nos connaissances

1 💬 Souvenons-nous de notre vocabulaire

EN PETITS GROUPES. **Regardez le dessin et mémorisez ce que vous voyez. Puis cachez le dessin et donnez le maximum d'informations. Comparez avec la classe.**

2 💬 Vérifions nos connaissances culturelles sur la France

EN PETITS GROUPES. **Répondez aux questions et mettez en commun avec la classe.**

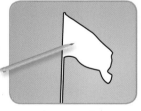

a. La Seine, c'est quoi ?

b. David Guetta, c'est qui ?

c. Le drapeau français est comment ?

d. Paris, c'est où ?

MAI

L	M	M	J	V	S	D
	1	2	3	4	5	6
7	8	9	10	11	12	13
14	15	16	17	18	19	20
21	22	23	24	25	26	27

e. Les collégiens français n'ont pas école le 1er mai : pourquoi ?

f. La fête nationale française, c'est quand ?

g. Tony Parker est champion de quel sport ?

Explorons la langue française

1 **Découvrons la francophonie**

EN PETITS GROUPES. **Dans la liste, trouvez des lieux où on parle français. Puis écoutez pour vérifier.**

| la Martinique (Antilles) | Montréal (Canada) | Dakar (Sénégal) | Genève (Suisse) |

| Zurich (Suisse) | Tahiti (Polynésie) | Hawaï (États-Unis) | Rabat (Maroc) |

2 **Jouons avec la grammaire française**

a. À DEUX. **Observez et associez chaque définition à un élément de la roue. Puis écoutez pour vérifier.**

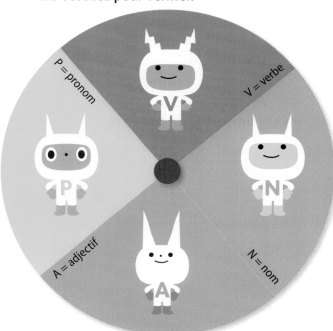

1 Il peut être une chose, une personne ou un lieu.

2 Il représente une action.

3 Il donne une information sur un nom.

4 Il remplace un nom.

b. EN PETITS GROUPES. **Jouez chacun votre tour. Faites tourner votre stylo sur la roue et choisissez un des mots de la liste qui correspond.** jouer – belle – chaise – nous – moi – bleu – blond – parler – pouvoir – ils – être – continent – fille – natation – long – soleil – téléphone – aller – grand – lui

3 **Découvrons la langue familière**

a. **Écoute les phrases et retrouve comment on dit les mots suivants. Qu'est-ce que tu remarques ?**
  1. adolescents   2. dictionnaire   3. ordinateur   4. exercice   5. randonnée

b. EN PETITS GROUPES. **Coupez les mots suivants et inventez des phrases.**

| photographie | mathématiques | football | géographie | professeur | télévision |

> J'adore cette photo !

Communiquons en classe

1 **Soyons polis**

a. Lis les bulles et écoute. Classe les bulles dans le tableau. (Il y a plusieurs possibilités.)

1 Merci !   **3** S'il te plaît...   **5** Excusez-moi...

2 S'il vous plaît !   **4** Oh, pardon !   **6** Oh, excuse-moi !

Situation formelle	Situation informelle

1, ...	1, ...

b. PAR DEUX. Choisissez quatre expressions et réutilisez-les dans des mini-dialogues.

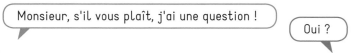

Monsieur, s'il vous plaît, j'ai une question !

Oui ?

2 **Échangeons et parlons de nous**

a. Écoute les mini-dialogues et choisis les expressions correspondant à chacun.

1 Moi si !   **2** Moi non plus !   **3** Moi aussi !   **4** Pas moi !

b. PAR DEUX. Prépare cinq informations personnelles et discute avec ton/ta camarade. Utilisez les expressions de l'activité **2** a.

J'adore le chocolat, et toi ?

Moi aussi !

Je n'ai pas de frères et sœurs, et toi ?

Moi si, j'ai une sœur et un frère.

Prêts pour l'étape 1 ?

Sortons en ville !

1 Regarde les photos et trouve :
a. un plan ;
b. des transports ;
c. des immeubles.

2 EN PETITS GROUPES. Faites une liste de vos lieux préférés dans votre ville.

Apprenons à...
• parler de nos déplacements en ville
• suivre un itinéraire en ville
• organiser une sortie

Et ensemble...
imaginons une ville idéale

VIDÉO
SÉQUENCE 1

Parlons de nos déplacements en ville

Des transports sympas pour toi et pour ta ville, c'est possible !

Comment aller au collège ?

En voiture, c'est rapide ! Et avec des amis, ça limite les voitures en ville !

En bus, en tramway ou en métro. Les transports en commun, c'est facile !

À pied ou à trottinette. Avec les copains, c'est sympa !

À vélo. C'est bien pour faire de l'exercice !

20   21

1 **Lis le magazine ① et réponds.**
a. Quels moyens de transports sont cités ?
b. Trouve un aspect positif pour chaque transport.

2 EN PETITS GROUPES. **Posez-vous les questions suivantes.**

> Tu viens au collège comment ?

> Tu voudrais utiliser quel transport ? C'est possible ? Pourquoi ?

> Moi, je viens au collège <u>en voiture</u>. Je voudrais venir <u>à vélo</u>, mais ce n'est pas possible parce que j'habite à la campagne.

3 **Lis le document ②. C'est une affiche pour :**
a. faire attention aux voitures en ville.
b. faire attention aux vélos en ville.
c. faire attention au tramway en ville.

4 DICO p. 115   **Relis l'affiche ② et associe.**
a. À vélo, on roule sur une…
b. À pied, on s'arrête au…
c. Les trottinettes roulent sur le…
d. Le tramway roule sur une…

1. … trottoir.
2. … piste cyclable.
3. … voie.
4. … feu rouge.
5. … route.

La voie de tram

n'est pas un trottoir !

La voie de tram

n'est pas une route ou une piste cyclable !

À pied,

on s'arrête au feu rouge !

MA**VILLE**

Tram de Bordeaux – Plan

Ligne A
Ligne B
Ligne C

Vers Les Aubiers
Vers Claveau
Vers Grand Came

Jardin public
Musée d'Art contemporain
Grand Théâtre
Place de la Bourse
Stade Chaban-Delmas
Place du Palais
Hôpital Pellegrin
Jardin botanique
Palais de Justice
Hôtel de ville
Musée d'Aquitaine
Victoire
Gare Saint-Jean
Vers Mérignac centre
Vers Pessac centre
Vers Terres Neuves

---

5 Regarde le document ③. Qu'est-ce que c'est ?

6 PAR DEUX. Trouvez quelle ligne de tramway passe par :

a. un musée   d. un stade

b. un parc ou un jardin   e. un hôpital

c. une gare

> a. La ligne B passe par le musée d'Art contemporain. Le musée d'Aquitaine est aussi sur la ligne B.

7 💬 EN PETITS GROUPES. Imaginez une nouvelle ligne de transport en commun pour votre ville (ou une ville proche de votre collège). Expliquez à la classe par où elle passe.

---

7 VOCABULAIRE

Les transports en ville
DICO p. 115

la voiture
la trottinette
les transports en commun
le bus
le métro
le tramway (= le tram) ▶ n° 1 p. 20

La sécurité
DICO p. 115

un feu (rouge/vert)
une piste cyclable
une route
un trottoir
une voie
rouler ≠ s'arrêter

Les lieux de la ville (1) DICO p. 115

une gare   un musée   un stade
un hôpital   un parc / un jardin
▶ n° 2 p. 20

Parler de ses déplacements

Je vais au collège } **en** bus, **en** tramway, **en** métro, **en** voiture.
à pied, **à** trottinette, **à** vélo.
Je **passe par** le musée.
▶ n° 1 p. 20

VIRELANGUE 8

L'accentuation en fin de mot

Écoute et répète. Accentue les fins de mots soulignées.

À <u>pied</u> ou en tram<u>way</u> pour al<u>ler</u> au mu<u>sée</u>, en mé<u>tro</u> ou à vé<u>lo</u> pour aller au ju<u>do</u>, en transp<u>ort</u> en comm<u>un</u> pour aller au jar<u>din</u> !
▶ n° 5 p. 20

Suivons un itinéraire en ville

1 Observe l'affiche. De quel événement s'agit-il ?

PARCOURS D'ORIENTATION EN VILLE

pour les 11-14 ans

le 24 avril

RDV à la cathédrale

Ville de Strasbourg

2 **Écoute. Vrai ou faux ?**
a. C'est le départ du parcours d'orientation.
b. Les participants font des équipes de dix.
c. Pendant le parcours d'orientation, les équipes prennent des photos et répondent à des questions.
d. Les équipes vont dans le quartier européen à pied.

3 Réécoute. Les participants prennent quels objets pour le parcours d'orientation ? Choisis.

▶ a. *Ils prennent deux tickets…*

10 Le verbe *prendre*

je <u>prend</u>**s**   nous <u>pren</u>**ons**
tu <u>prend</u>**s**   vous <u>pren</u>**ez**
il/elle/on <u>prend</u>   ils/elles <u>prenn</u>**ent**

▶ n° 6 p. 21

PHONÉTIQUE **11**

La prononciation du verbe *prendre*
Écoute encore le verbe *prendre* et dis dans quelles formes verbales tu entends :
• [ã] comme dans *plan* ;
• [ən] comme dans *fenêtre* ;
• [ɛn] comme dans *europé<u>enne</u>*.

▶ n° 7 p. 21

4 **PAR DEUX. Associez les situations aux dessins (il y a plusieurs possibilités). Puis faites des phrases avec le verbe *prendre*.**

a. Lina et Chloé vont au collège en métro.
b. Je pars au collège à vélo.
c. Nous visitons une ville.
d. Corentin est au musée.

1 des photos   **3** un ticket

2 un casque   **4** un plan

a-3 ▶ *Elles prennent un ticket.*

5 PAR DEUX. **Observez le plan du parcours d'orientation à Strasbourg et lisez les extraits du questionnaire. Associez chaque question à une étape.**

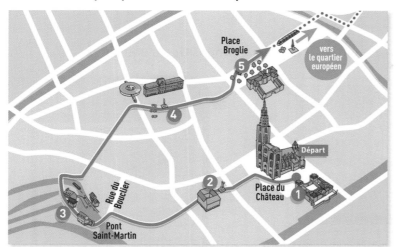

ⓐ Continuez tout droit et tournez à droite sur la place Broglie. Quel est ce monument ?

ⓑ Tournez à gauche dans la rue du Bouclier et prenez le pont Saint-Martin. Comment s'appelle ce quartier ?

ⓒ Vous êtes à la cathédrale. Traversez la place du Château et regardez le monument : qu'est-ce que c'est ?

6 PAR DEUX. **Lisez les indices suivants et répondez aux questions de l'activité 5.**

 L'hôtel de ville de Strasbourg, sur la place Broglie.

 Le palais Rohan, un grand musée à côté de la cathédrale.

 Le quartier de la Petite France avec ses belles maisons.

7 **Relis les questions de l'activité 5 et trouve les expressions correspondant aux panneaux.**

ⓐ ⓑ ⓒ ⓓ

13 **Pour indiquer un itinéraire**

Tourne/Tournez **à droite/à gauche**.
Continue/Continuez **tout droit**.
Traverse/Traversez, prends/prenez le pont.
Traverse/Traversez la place / la rue.
Je suis **dans** la rue.
Je suis **sur** la place / le pont.

▶ n° 3 et 9 p. 20-21

Action!

8 EN PETITS GROUPES. **Dessinez les trois premières étapes d'un parcours d'orientation sur le plan de votre ville. Décrivez l'itinéraire à la classe.**

Le départ est sur la place de la Cathédrale. Tournez à gauche dans la rue de Paris et continuez tout droit. Vous arrivez à l'étape 1.

Mon **COURS** de gé🌐graphie

12 PAR DEUX. **Lisez et devinez la bonne réponse. Puis écoutez pour vérifier.**

QUIZ **Connaissez-vous l'Europe ?**

1 Strasbourg, c'est la capitale de la France / de l'Union européenne.

2 Le quartier européen de Strasbourg est au centre / au sud / au nord de la ville.

3 L'Union européenne a une autre capitale : Bruxelles / Paris / Londres.

14 **VOCABULAIRE**

Les lieux de la ville (2) (DICO p. 115)

une cathédrale	un monument	un quartier
un château	une place	une rue
un hôtel de ville	un pont	▶ n° 8 p. 21

Organisons une sortie

1 Lis les SMS. Quelles sorties on propose ? Associe chaque proposition à une photo.

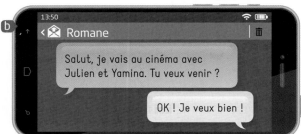

a Mayeul 18:27

Coucou ! Tu veux aller à la piscine cet après-midi ?

Non, je ne peux pas ! Mes parents ne veulent pas...

b Romane 13:50

Salut, je vais au cinéma avec Julien et Yamina. Tu veux venir ?

OK ! Je veux bien !

c Inès 09:32

Salut les filles, vous voulez aller au centre commercial cet après-midi ?

Oh non, je n'ai pas envie de faire les magasins...

On ne va pas faire les magasins, on va manger une glace au Café du Centre !

Bonne idée !

D'accord !

2 Relis les SMS de l'activité **1**.
Dans quel(s) SMS on accepte / on refuse la sortie ? Relève les phrases pour accepter ou refuser.

15 Pour organiser une sortie

Proposer
Tu veux / Vous voulez aller à la piscine ?
Tu veux venir ?

Refuser
Non, je ne peux pas.
Non, je n'ai pas envie.

Accepter
Oui (O.K.), je veux bien !
Bonne idée !
D'accord !

▶ n° 10 p. 21

16 Le verbe *vouloir*

je <u>veux</u>   nous voul**ons**
tu <u>veux</u>   vous voul**ez**
il/elle/on <u>veut</u>   ils/elles veul**ent**

▶ n° 11 p. 21

3 EN PETITS GROUPES. Mettez-vous d'accord pour faire une sortie.

aller à la piscine   aller au cinéma

prendre une glace   faire les magasins

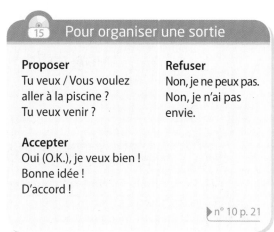

Moi, je ne veux pas aller à la piscine. Julia et Lina ne veulent pas faire les magasins. Vous voulez aller au cinéma ?

4
DICO
p. 115

Regarde le plan du centre commercial. Classe les lieux suivants dans les catégories proposées sur le plan.

| un restaurant | une boulangerie | une librairie | un magasin de vêtements |

| une salle de sports | un magasin de chaussures |

▶ *un restaurant > restauration*

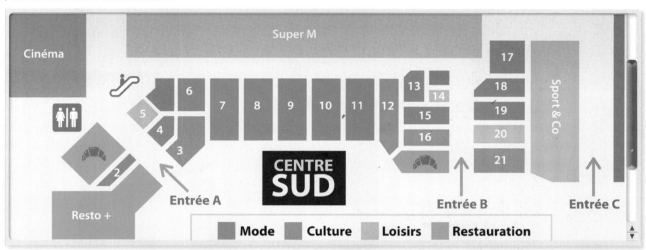

 5 **Écoute Jade et ses copains au centre commercial. Quel est le problème ?**

 6 **Réécoute et réponds.**
a. **Vrai ou faux ?**
1. Les copains de Jade sont devant la librairie.
2. La librairie est entre un magasin de chaussures et un supermarché.
3. La librairie est loin de l'entrée B.
4. Près de l'entrée A, il y a un restaurant.

b. **Situe Jade et ses copains sur le plan de l'activité** 4.

7 **Choisis un lieu sur le plan de l'activité** 4. **Fais deviner à la classe où tu es.**

Je suis devant un magasin de Loisirs et en face d'une boulangerie. Je ne suis pas loin du cinéma.

Tu es en face du numéro 5 !

Action!

8 **EN PETITS GROUPES. Propose une sortie à tes camarades et fixez ensemble le lieu de rendez-vous. Puis jouez la scène devant la classe.**

18 Les prépositions de lieu

près (de) loin (de) en face (de)
devant derrière entre

⚠ *Je suis près **de la** librairie / **du** restaurant / **de** l'entrée.*
▶ n° 4 et 12 p. 20-21

19 VOCABULAIRE

Le centre commercial DICO p. 115

une boulangerie un magasin de vêtements / de chaussures
un café une piscine
un cinéma un restaurant
une librairie un supermarché

CULTURES

Décorer la ville

Transformer une cabine téléphonique en bibliothèque, un mur en jardin ou en fresque, habiller des vélos de tricot et des monuments de lumière ou décorer des rues de mousse : les villes ont beaucoup d'idées pour être belles !

19

EN PETITS GROUPES

1 🌍 **Est-ce que vous connaissez** des décorations originales dans des villes de votre pays ou d'un autre pays ?

2 **Lis l'article. Associe** chaque photo à une transformation décrite dans le texte.

photo 1 ▶ *transformer un mur en fresque*

3 Lis les légendes et retrouve les photos correspondantes.

a. L'oasis d'Aboukir, mur végétal, Paris
b. La cathédrale Saint-Jean, Fête des Lumières, Lyon
c. La Cité idéale du Québec, mur peint, Lyon
d. Cabine à lire, Rueil-Malmaison
e. Tag en mousse, France
f. Vélo habillé, France

PAR DEUX

4 Imaginez une nouvelle manière de décorer votre ville et présentez-la à la classe.

> Nous voulons peindre tous les trottoirs en vert !

ENSEMBLE POUR...
imaginer une ville idéale

1 EN PETITS GROUPES Répondez à cette question : comment sont les transports, les monuments, les rues, les magasins, les parcs dans une ville idéale ?

> Dans ma ville idéale, il n'y a pas de voitures. On prend le tramway ou on roule à vélo.

> Oui, il y a un grand parc au centre de la ville et des jardins sur les immeubles !

2 Dessinez le plan de votre ville.

3 Trouvez un nom pour votre ville.

> Notre ville s'appelle Superville !

4 Présentez votre ville idéale et votre plan à la classe.

> Voici Superville. Au centre, il y a un grand parc... On peut prendre le tramway pour aller dans tous les quartiers de la ville.

LA CLASSE DONNE SON AVIS SUR...

LES IDÉES   + ++ ++

LA PRÉSENTATION   + ++ ++

... ET VOTE POUR SA VILLE PRÉFÉRÉE.

VIDÉO ▶ SÉQUENCE 1

Entraînement

👥👥 Entraînons-nous

▶ **Les transports en ville / Parler de ses déplacements**

1 EN PETITS GROUPES. **Prépare une devinette. Tes camarades devinent quel transport tu utilises.**

> Je suis sur le trottoir, mais je ne marche pas, je roule !
>
> Tu es à trottinette !

▶ **Indiquer un itinéraire**

3 PAR DEUX. **Choisis un itinéraire et indique le chemin à ton/ta camarade. Il/Elle devine où tu vas.**

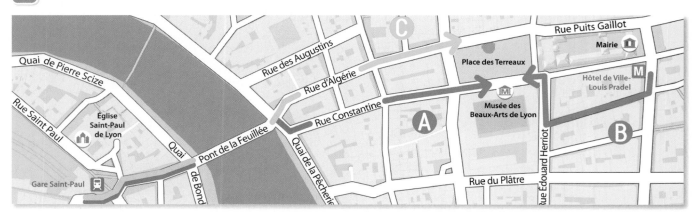

▶ **Les prépositions de lieu**

4 EN PETITS GROUPES. **Choisis un(e) élève dans la classe. Explique à tes camarades où il/elle se trouve. Tes camarades devinent qui c'est.**

> Il/Elle est près du mur, devant le tableau, derrière Yamina et entre Tom et Lisa.
>
> C'est Lucas !

▶ **Les lieux de la ville (1)**

2 EN PETITS GROUPES. **Notez votre ville. Comparez vos notes avec la classe.**

> Les transports en commun sont bien et pour les vélos, c'est super ! Quatre étoiles pour les transports !

👤 Entraîne-toi

▶ **PHONÉTIQUE. L'accentuation en fin de mot**

5 **Écoute les phrases. Quelles syllabes ne se prononcent pas en fin de mot ? Quelles syllabes sont accentuées ?**

▶ *Le tram<u>way</u> passe par le <u>parc</u>.*

a. Je suis à pied.
b. Tu viens en métro ?
c. Les transports en commun, c'est bien !
d. Je fais de la trottinette.
e. Elle passe au feu vert.
f. Tu prends le bus.

▶ **Le verbe *prendre***

6 **Transforme avec le verbe *prendre* comme dans l'exemple.**

▶ *Paul se déplace en bus.* > *Paul prend le bus.*

a. Je n'utilise pas les transports en commun.
   ▶ Je ne…
b. Nous utilisons le métro.
c. Mes parents n'utilisent pas leur voiture tous les jours.
d. Vous utilisez votre trottinette ?
e. Tu te déplaces en tramway ?

▶ **PHONÉTIQUE. La prononciation du verbe *prendre***

7 **Associe les sonorités identiques. Écoute pour vérifier.**

a. prend •
b. prenez •
c. prennent •

   • 1. coréenne
   • 2. comprends
   • 3. se promener
   • 4. blanc
   • 5. collégienne
   • 6. venons

▶ **Les lieux de la ville (2)**

8 **Observe les photos de Paris et de la région parisienne et retrouve les lieux suivants.**

une cathédrale   un château   une rue

une place   un parc   un quartier

Sceaux

Notre-Dame de Paris

la Bastille

Rivoli

Montmartre

Versailles

▶ **Indiquer un itinéraire**

9 **Associe. (Il y a plusieurs possibilités.)**

a. Tu tournes à… •
b. Je traverse… •
c. Je suis sur… •
d. Tu continues tout… •
e. Vous êtes dans… •

   • 1. … le pont des Arts.
   • 2. … la place Bellecour.
   • 3. … droit.
   • 4. … la rue du Perron.
   • 5. … droite.

▶ **Organiser une sortie**

10 **Mets le dialogue dans l'ordre.**

a. Je n'aime pas faire les magasins… Tu ne veux pas aller au cinéma ?

b. Alors, on va faire les magasins en ville ?

c. D'accord, bonne idée !

d. Salut Nina, tu veux aller au musée avec moi cet après-midi ?

e. Oh non, je n'ai pas envie…

▶ **Le verbe *vouloir***

11 **Associe.**

a. Je… •
b. Qu'est-ce que vous… •
c. Nous ne… •
d. Tu… •
e. Lucille ne… •
f. Elles… •

   • 1. … voulons pas visiter la ville.
   • 2. … veut pas aller au centre commercial.
   • 3. … veux aller à la boulangerie avec moi ?
   • 4. … voulez faire ?
   • 5. … veulent aller où ?
   • 6. … veux aller au collège à pied avec vous !

▶ **Les prépositions de lieu**

12 **Mets les mots à la bonne place.**

derrière   loin   en face de   entre

a. La librairie est près de la place. Elle n'est pas … .
b. Thomas est à gauche de Marie et à droite de Yacine. Il est … Marie et Yacine.
c. Le cinéma est là, … nous, pas devant !
d. Regarde, la boulangerie est … toi, juste devant tes yeux !

Évaluation

1 **Écoute Pauline et Aurélien. Vrai ou faux ?**

.../5

a. Pauline et Aurélien sont à Marseille.

b. On ne peut pas faire de vélo à Marseille.

c. Pauline préfère marcher.

d. Il y a un nouveau stade et des quartiers sympas à Marseille.

e. Il n'y a pas de transports en commun à Marseille.

2 **PAR DEUX. Explique à ton/ta camarade où tu habites : dans quelle rue, près de quel métro, en face de quel magasin, etc.**

.../5

3 **Regarde le plan et réponds au SMS de Simon.**

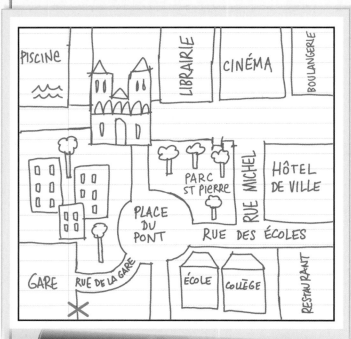

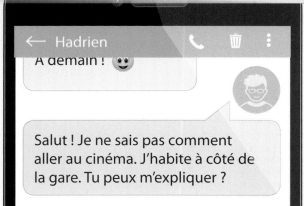

← Hadrien

A demain ! 😊

Salut ! Je ne sais pas comment aller au cinéma. J'habite à côté de la gare. Tu peux m'expliquer ?

.../5

4 **Lis le texte et réponds.**

http://lyon.fr

VILLE DE LYON
1ᵉ 2ᵉ 3ᵉ 4ᵉ 5ᵉ 6ᵉ 7ᵉ 8ᵉ 9ᵉ
Rechercher

Quartiers de Lyon | Culture | Sport | Vie Municipale

▸ **LE QUARTIER BELLECOUR : LE CENTRE**

Le quartier et sa grande place sont dans le centre de Lyon, entre le Rhône et la Saône. Les deux fleuves traversent la ville. Près de la place, la rue de la République est la célèbre rue des magasins. On circule à pied dans cette rue.

▸ **LE QUARTIER DE LA PART-DIEU : ENTRE GARE ET CENTRE COMMERCIAL**

a. **Trouve le nom :**
1. du quartier situé entre deux fleuves ;
2. d'une rue où il n'y a pas de voitures ;
3. du quartier de la gare.

b. **Où est :**
1. la célèbre rue des magasins ?
2. le centre commercial ?

.../5

.../5

.../20

Prêts pour l'étape 2 ?

Régalons-nous !

1 Regarde les photos et trouve :
a. des fruits et des légumes ;
b. des bonbons ;
c. de la glace.

2 Et toi, tu préfères les fruits et les légumes ou les gâteaux ?

Apprenons à…
• parler de nos habitudes alimentaires
• préparer un anniversaire
• nous interroger sur notre alimentation

Et ensemble…
créons des stands pour la semaine du « bien manger » au collège

VIDÉO
SÉQUENCE 2

Parlons de nos habitudes alimentaires

1 Manger à des heures régulières

Ado-Santé

Pour ta santé, fais des repas réguliers : un petit-déjeuner le matin, un déjeuner le midi, un goûter l'après-midi et un dîner le soir. Et entre les repas, on ne mange pas !

un petit-déjeuner — 7:00
un déjeuner — 12:30
un goûter — 16:30
un dîner — 20:00

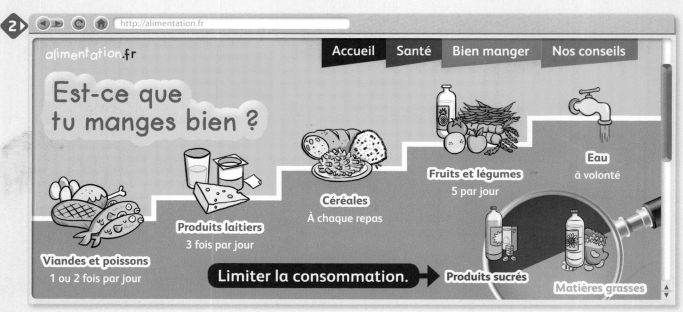

2 http://alimentation.fr

alimentation.fr

Accueil Santé Bien manger Nos conseils

Est-ce que tu manges bien ?

Eau
à volonté

Fruits et légumes
5 par jour

Céréales
À chaque repas

Produits laitiers
3 fois par jour

Viandes et poissons
1 ou 2 fois par jour

Limiter la consommation. → Produits sucrés   Matières grasses

1 Lis la publicité ①. Trouve les deux conseils pour la santé.

2 Relis la publicité ①. Associe les repas et les horaires.

Les ados français

prennent leur petit-déjeuner à... • • ... 16 h 30.
déjeunent à... • • ... 12 h 30.
goûtent à... • • ... 20 h.
dînent à... • • ... 7 h.

3 AVEC LA CLASSE. Comparez vos horaires de repas à ceux des ados français.

> Moi, le matin, je prends mon petit-déjeuner à 6 h 30.

4 Regarde le site Internet ②. Qu'est-ce qu'il présente ? Choisis la réponse correcte.
a. Un repas idéal.
b. Des conseils pour une bonne alimentation.
c. Les aliments préférés des Français.

mardi 14 avril

Salade de tomates
ou carottes râpées

Poulet ou poisson
Riz

Fromage ou yaourt

6 💬 EN PETITS GROUPES. Qu'est-ce que vous aimez et qu'est-ce que vous n'aimez pas dans la liste de l'activité **5** ? Comparez avec la classe.

> Moi, j'aime les tomates, les pâtes…

7 🎧 23 Observe la photo ③ et écoute. Dis comment s'appelle chaque partie du menu de la cantine.

> le plat   le dessert   l'entrée

8 💬 AVEC LA CLASSE. Et dans votre pays, est-ce qu'il y a plusieurs plats dans un repas ?

🎧 24 VOCABULAIRE

Les repas (m.)
(DICO p. 116)

le petit-déjeuner
le déjeuner
le goûter
le dîner
un menu
une entrée
un plat
un dessert
> ▶ n° 1 et 5 p. 32-33

le pain
les pâtes (f.)
le poisson
la pomme
le poulet
le riz
la salade (verte, de tomates)
le sucre
la tomate
le yaourt

manger

Les aliments (m.)
(DICO p. 116)

la carotte
les céréales (f.)
le fromage
les haricots verts (m.)
l'huile (f.)
l'orange (f.)

Les boissons (f.)
(DICO p. 116)

l'eau (f.)
le jus de fruits
le lait
boire
> ▶ n° 2 p. 32

Exprimer la fréquence (1)

une/deux fois par jour / par semaine
à chaque repas
à volonté

VIRELANGUE 🎧 25

Les sons [w] comme dans *moi* et [ɥ] comme dans *lui*

Écoute et répète le plus rapidement possible.

Aujourd'hui, Louane et Édouard mangent dans la cuisine trois poissons à l'huile et huit fruits.
> ▶ n° 6 p. 33

5
DICO p. 116

Lis le site Internet ②. Retrouve les produits suivants et dis à quelle fréquence on conseille de les manger ou de les boire.

> les pâtes   les tomates   l'eau
>
> les jus de fruits   l'huile   les oranges
>
> le sucre   la viande   le pain
>
> les pommes   le lait   les haricots verts

Préparons un anniversaire

1 Lis les messages. Qui fait quoi ?

`b@tist` `mado44` `lulu` `swag`   `demande des idées`   `donne des idées`

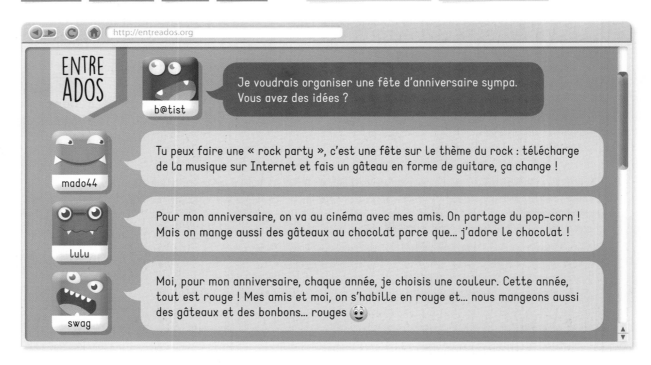

ENTRE ADOS

b@tist : Je voudrais organiser une fête d'anniversaire sympa. Vous avez des idées ?

mado44 : Tu peux faire une « rock party », c'est une fête sur le thème du rock : télécharge de la musique sur Internet et fais un gâteau en forme de guitare, ça change !

lulu : Pour mon anniversaire, on va au cinéma avec mes amis. On partage du pop-corn ! Mais on mange aussi des gâteaux au chocolat parce que... j'adore le chocolat !

swag : Moi, pour mon anniversaire, chaque année, je choisis une couleur. Cette année, tout est rouge ! Mes amis et moi, on s'habille en rouge et... nous mangeons aussi des gâteaux et des bonbons... rouges 😳

2 Relis les messages de l'activité **1**.
a. Associe chaque thème d'anniversaire à un ado.

1 INVITATION

2 ROCK INVITATION

3 Invitation

b. Qu'est-ce que les ados font ou proposent de faire pour chaque thème ?

> **26** Les verbes en *-ger*
>
> **Manger**
>
> je mange   nous mang**e**ons
> tu mang**es**   vous mang**ez**
> il/elle/on mange   ils/elles mang**ent**
>
> 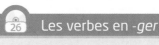 n° 7 p. 33

3 💬 PAR DEUX. Et toi, qu'est-ce que tu fais pour fêter ton anniversaire ?

> J'invite des amis et nous partageons un bon moment : nous mangeons des bonbons...

4 🎧 27 Écoute Baptiste et sa mère. De quoi ils parlent ?

5 Réécoute et lis la liste des ingrédients pour le gâteau. Qu'est-ce qu'il y a et qu'est-ce qu'il n'y a pas ?

> Demander à maman :
> - du chocolat   - du sucre en poudre
> - des œufs   - de la farine
> - du beurre   - du sel

28 Les articles partitifs

Pour exprimer une quantité indéterminée, on utilise les articles partitifs.

Masculin	Il y a **du** chocolat.	
Féminin	Il y a **de la** farine.	Il y a **de l'**eau.
Pluriel	Il y a **des** œufs.	

⚠ *Il n'y a pas **de** chocolat / **de** farine / **d'**eau / **d'**œufs.*

▶ n° 3 p. 32

6 💬 PAR DEUX. Quels ingrédients on peut utiliser pour préparer un gâteau ? Quels ingrédients on ne peut pas utiliser ? Faites deux listes. Puis comparez avec la classe.

> On peut utiliser <u>des</u> oranges.

> On ne peut <u>pas</u> utiliser <u>de</u> viande.

7 Lis la liste de courses et trouve chaque produit dans le sac ci-contre. Qu'est-ce qui n'est pas pour l'anniversaire de Baptiste ?

- 1 tablette de chocolat
- 200 grammes de sucre en poudre
- 1 morceau de fromage
- 4 œufs
- 1 kilo de carottes
- 3 bouteilles de jus de fruits
- 1 litre de lait
- 3 paquets de bonbons

8 Relis la liste de courses de l'activité **7**. Quelle information il y a pour chaque produit ?

29 Pour exprimer une quantité

Les solides	Les liquides
1 **kilo de** carottes	1 **litre de** lait
200 **grammes de** sucre	1 **bouteille de** jus de fruits
1 **paquet de** bonbons	
1 **morceau de** fromage	
1 **tablette de** chocolat	

⚠ *1 bouteille **d'**eau*

▶ n° 8 p. 33

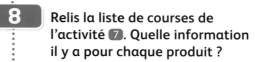

9 EN PETITS GROUPES. Imaginez un gâteau original et faites la liste des courses nécessaires. La classe vote pour le gâteau le plus original.

30 VOCABULAIRE

L'anniversaire (m.)	Les ingrédients (m.)
DICO p. 116	DICO p. 116
un bonbon	le beurre
une fête	le chocolat
un gâteau	la farine
partager	les œufs (m.)
	le sel
	le sucre en poudre

Mon COURS de MATHS

Choisis la réponse correcte.

1 kilo = 10 grammes – 100 grammes – 1 000 grammes

1 litre = 10 centilitres – 100 centilitres – 1 000 centilitres

Interrogeons-nous sur notre alimentation

1 Lis le document et réponds.
a. Qu'est-ce que c'est ?
b. Qu'est-ce qu'il propose ?

Aliments et santé

Le guide alimentaire pour les ados

Combien de morceaux de pain je peux prendre à chaque repas ?

Vous conseillez de boire combien de litres d'eau par jour ?

C'est bien de faire combien de repas par jour ?

J'♥ MANGER J'♥ MA SANTÉ

Des réponses à tes questions et des conseils pour une bonne alimentation

2 Relis le document de l'activité **1**.
Trouve les questions correspondant aux réponses suivantes.
a. 4 par jour, pour un ado, c'est bien !
b. 2 morceaux, c'est une bonne quantité.
c. 2 litres.

 Pour poser une question sur la quantité

Combien de morceaux de pain je peux prendre à chaque repas ?
Vous conseillez de boire **combien de** litres d'eau par jour ?

⚠ *Il y a combien **d'**œufs dans ce gâteau ?* ▶ n° 4 p. 32

3 💬 EN PETITS GROUPES. **Trouvez cinq autres questions sur l'alimentation. Comparez avec la classe.**

Je peux manger combien de fruits et de légumes par jour ?

4 Lis le document.
À ton avis, d'où il vient ?

Le fast-food, c'est ton restaurant préféré. C'est sympa, rapide, pas cher. Et c'est bon ! Oui, mais pas pour ta santé ! Et attention aux quantités !

J'♥ LE FAST FOOD !

Fais simple...
Prends un petit hamburger avec un peu de viande et de fromage, parce qu'il y a beaucoup de matières grasses.

Et les frites ?
Pas trop de frites, il y a beaucoup d'huile. Tu ne manges pas assez de légumes ? Prends aussi une salade !

La boisson...
Il y a trop de sucre dans les sodas ! Prends un jus de fruits !

17

5 Relis le document de l'activité **4**. Il donne des conseils sur quoi ?

6 Relis encore le document de l'activité **4**. Vrai ou faux ? Justifie tes réponses.
Le guide conseille de…
a. manger un hamburger avec beaucoup de viande et de fromage.
b. ne pas manger trop de légumes.
c. prendre un jus de fruits parce qu'il y a trop de sucre dans les sodas.

---

32 Les adverbes de quantité

Prends un petit hamburger avec **un peu de** viande.
Tu ne manges pas **assez de** légumes ?
Il y a **beaucoup de** matières grasses.
Il y a **trop de** sucre.

⚠️ *Il y a un peu / beaucoup / trop d'eau / d'huile.*

▶ n° 9 p. 33

PHONÉTIQUE **33**

La prononciation du *h* : *h* muet / *h* aspiré

Écoute et lis les phrases. Quelle différence tu remarques pour l'adverbe de quantité ?
a. Il y a beaucoup de hamburgers.
b. Il y a beaucoup d'huile.

▶ n° 10 p. 33

---

7 💬 PAR DEUX. **Dis à ton/ta camarade si tu manges un peu, (pas) assez, beaucoup ou trop de ces aliments.**

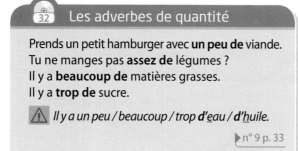

La viande   Le poisson   Les fruits

Les légumes   Les gâteaux   Les œufs

Les bonbons   Le fromage

> Je mange un peu de viande.

---

8 Écoute. Quel est le sujet de l'enquête ?

9 Réécoute. Qu'est-ce que l'ado interrogé mange toujours, souvent, parfois ou ne mange jamais ?

---

35 Pour exprimer la fréquence (2)

\+ ⟶ –

toujours   souvent   parfois   jamais

Je mange **toujours/souvent/parfois** des légumes.
Je **ne** mange **jamais** de légumes.

▶ n° 11 p. 33

Action!

10 EN PETITS GROUPES. **Organisez une enquête dans la classe sur les habitudes alimentaires. Préparez cinq questions et posez-les à un autre groupe. Écrivez un article pour présenter les résultats dans le journal du collège.**

> Est-ce que tu manges beaucoup de viande ? Combien ?

---

36 VOCABULAIRE

Le fast-food (DICO p. 116)

les frites (f.)
le hamburger
le soda

CULTURES

Fou de bonbons !

Lutti est une marque de bonbons franco-belge. C'est la 1re marque en Belgique et la 2e en France.

Pourquoi franco-belge?

Parce que l'histoire de Lutti commence en Belgique, en 1889, avec la confiserie Léopold, et continue en France, en 1949, avec la chocolaterie Saint-Pierre.

Quels sont les bonbons stars de Lutti ?

Des bonbons avec de la gélatine ou de la guimauve, aux fruits ou au chocolat.

Où ?

Bondues

1 Les bonbons Arlequin
2 Les Koala
3 Les Bubblizz
4 Les Surffizz
5 Les Guimauves Fofolles
6 Les Apollo

36 • Alimentation

---

2 Lis l'article. Vrai ou faux ?

a. Lutti est une marque de bonbons française.
b. C'est une marque importante en France et en Belgique.
c. Les bonbons Lutti sont fabriqués dans le Sud de la France.
d. L'histoire de Lutti commence en France.
e. On peut créer des desserts avec les bonbons Lutti.

30 trente

Et sur le site Internet de Lutti, il y a des recettes originales avec des bonbons !

La charlotte aux Bubblizz

- 1 paquet de Bubblizz

 • 500 g de fromage blanc

 • 15 cl de crème

 • 1 citron vert

 • 2 feuilles de gélatine

© Emmanuel Auger / Syndicat National de la Confiserie

3 **Relis** et **trouve** :
a. les ingrédients des bonbons stars Lutti ;
b. les ingrédients de la charlotte aux Bubblizz.

EN PETITS GROUPES

4 **Inventez** une recette originale avec des bonbons Lutti.

> Un gâteau à la guimauve Fofolle avec de la farine, du lait...

ENSEMBLE POUR...

créer des stands pour la semaine du « bien manger » au collège

1 **EN PETITS GROUPES**
Imaginez un stand original.

> Le stand des sodas bons pour la santé !

2 Faites la liste des ingrédients nécessaires pour préparer vos produits.

> On peut faire des sodas avec des légumes !

- du sucre
- des légumes

3 Précisez les quantités pour chaque ingrédient.

> Dans nos sodas, il y a beaucoup de légumes et un peu de fruits : 500 grammes de carottes et 200 grammes d'oranges...

4 Visitez les stands et posez des questions à vos camarades sur leurs produits.

> Il n'y a pas trop de sucre dans vos sodas ?

LA CLASSE DONNE SON AVIS SUR...

 LE STAND   + ++ ++

 LES INGRÉDIENTS   + ++ ++

... ET VOTE POUR LA MEILLEURE IDÉE.

VIDÉO SÉQUENCE 2

Entraînement

👥👥 Entraînons-nous

▶ Les repas

1 PAR DEUX. **Pose des questions à ton/ta camarade sur les horaires de repas de Maëlle. Il/Elle te répond.**

Maëlle

> Le matin, Maëlle prend son petit-déjeuner à quelle heure ?

> Elle prend son petit-déjeuner à 7 h 30.

▶ Les aliments et les boissons

2 EN PETITS GROUPES. **Citez deux fruits, deux légumes, deux boissons et deux produits laitiers.**

▶ Les articles partitifs

3 PAR DEUX. **Prépare des étiquettes sur ce modèle. Tire au sort une étiquette et interroge ton/ta camarade. Il/Elle te répond.**

poisson	poulet
œufs	pain
oranges	tomates
beurre	pommes
carottes	viande

> Est-ce que tu manges du poisson ?

> Non, je ne mange pas de poisson. / Oui, je mange du poisson.

▶ Poser une question sur la quantité

4 PAR DEUX. **Demande à ton/ta camarade combien de ces produits il/elle mange par mois. Il/Elle te répond.**

les hamburgers — les bonbons — les fruits — les yaourts — les gâteaux

> Tu manges combien de hamburgers par mois ?

> Je mange 3 ou 4 hamburgers par mois.

👤 Entraîne-toi

▸ Les repas

5 Mets les lettres dans l'ordre pour retrouver les repas et les parties d'un repas.

a. l' é t n e r e

b. le é d e j u e n r

c. le p t a l

d. le r d n e î

e. le e s t s e d r

f. le i e t p t
   e d j u n e r é

g. le û g t o e r

▸ PHONÉTIQUE. Les sons [w] et [ɥ]

6 Écoute. Combien de fois tu entends le son [w] et le son [ɥ] dans chaque phrase ?

(37)

▸ Les verbes en -ger

7 Transforme comme dans l'exemple.

▸ *Je télécharge des menus sur Internet.*
  > *Nous téléchargeons des menus sur Internet.*

a. Je range la cuisine.

b. J'interroge des amis sur leurs goûts.

c. Je partage ce gâteau.

d. Je mange à la cantine.

▸ Exprimer une quantité

8 Regarde le dessin et écris la liste de courses. Écoute pour vérifier tes réponses.

(38)

▸ Les adverbes de quantité

9 Décris chaque photo avec *un peu de*, *(pas) assez de*, *beaucoup de* ou *trop de*.

> Il y a trop de carottes.

a

c

b

d

▸ PHONÉTIQUE. La prononciation du *h* : *h* muet / *h* aspiré

10 Écoute et choisis la forme correcte.

(39)

a. Beaucoup d'/de haricots verts.

b. Beaucoup d'/de histoires.

c. Beaucoup d'/de huile.

d. Beaucoup d'/de hamburgers.

e. Beaucoup d'/de heures.

▸ Exprimer la fréquence (2)

11 À quelle fréquence tu manges dans les lieux suivants le matin, le midi et le soir ?

| à la cantine | chez moi |

| chez un(e) ami(e) | au fast-food |

> Le midi, je mange souvent à la cantine, parfois chez moi, mais je ne mange jamais chez un ami.

Évaluation

 1 **Écoute Lili et sa mère et réponds.**

a. Qu'est-ce que Lili demande à sa mère d'acheter et pourquoi ?

... /5

b. Pourquoi sa mère refuse ?

c. Vrai ou faux ? Justifie ta réponse.
La mère de Lili mange trop de chocolat.

d. Quels fruits aime Lili et quels fruits elle n'aime pas ?

---

2 💬 PAR DEUX. ....

Fais cette enquête avec ton/ta camarade. Tu poses des questions, il/elle répond.

http://alimentation.fr

Enquête **Tu as une bonne alimentation ?**

Pour chaque catégorie, dis ce que tu manges, à quelle fréquence et en quelle quantité.

Les produits sucrés :

La viande et le poisson :

Les produits laitiers :

Les céréales :

Les fruits et les légumes :

> Tu manges des produits sucrés ?
>> Oui, je mange parfois un peu de bonbons.

... /5

---

4 ✏️ ....

Écris une liste de courses avec dix produits pour créer ton menu idéal.

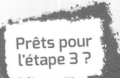

500 grammes de chocolat
2 bouteilles de jus de fruits
...

... /5

---

3 📖 ....

Lis l'échange de SMS entre Nathan et Yann et réponds.

← Yann 📞 🗑️ ⋮

> Tu viens déjeuner chez moi ? Ma mère prépare du poulet et des pâtes. 😀

>> Je ne peux pas, je vais au fast-food avec un copain.

> Le fast-food, ce n'est pas bon pour la santé !

>> Je vais manger une salade et prendre un jus de fruits. 😀

> Pfff... Tu vas prendre un hamburger, des frites et un soda !

>> C'est vrai ! 😅

a. Vrai ou faux ? Justifie ta réponse.
1. Nathan invite Yann pour le repas du soir.
2. Yann refuse l'invitation parce qu'il va au fast-food.

b. La mère de Nathan prépare quel plat ?

c. Quel est l'avis de Nathan sur le fast-food ?

... /5 **d. Qu'est-ce que Yann va manger ?**

... /20

Prêts pour l'étape 3 ?

1 Compréhension de l'oral

Lis les questions. Écoute deux fois le message téléphonique puis réponds aux questions.

a. Nico te propose d'aller…

1. au musée.   2. à la piscine.   3. à la bibliothèque.

b. Pour aller au rendez-vous, Nico va prendre le…

c. Nico propose de te retrouver où ?

1. Dans le musée.   2. Sur la place du marché.   3. Devant la bibliothèque.

d. Qu'est-ce qu'on traverse pour aller à la bibliothèque ?

e. La bibliothèque est près de quel autre lieu de la ville ?

.../10

2 Compréhension des écrits ···

Lis cet article sur un site Internet français. Réponds aux questions.

www.santeadosmag.com

Manger équilibré et à des heures précises, c'est avoir une bonne santé !

Pour une bonne alimentation, c'est très important de manger des céréales et au minimum cinq fruits et légumes par jour. Bois beaucoup d'eau et évite les sodas et autres produits très sucrés. Il faut aussi limiter les matières grasses (frites), manger des légumes à chaque repas et de la viande ou du poisson une fois par jour. Attention : on ne mange pas entre les repas !
Manger à des heures régulières et faire 3 repas par jour, c'est aussi très important pour ta santé ! Par exemple, tu peux prendre un petit-déjeuner à 7 h 30, un repas du midi à 12 h 15 et un repas du soir à 19 h 30. Dans la matinée, à 10 h, tu peux manger un fruit et un morceau de pain. L'après-midi, tu peux prendre un goûter (un morceau de fromage ou un yaourt avec un jus de fruits).

a. Combien de fruits et de légumes on recommande de manger tous les jours ?

b. C'est bien d'éviter de consommer beaucoup…

1. d'eau.   2. de sodas.   3. de viande.

c. D'après l'article, à chaque repas, c'est bien de manger…

d. D'après l'article, on peut…

1. faire trois repas par jour.   2. manger entre les repas.   3. boire des sodas à chaque repas.

e. Qu'est-ce que tu peux manger pour le goûter ? *(Plusieurs réponses possibles, une réponse suffit.)*

.../10

3 ✏️ Production écrite

Tu invites un(e) ami(e) à ton anniversaire. Tu lui écris un e-mail pour lui donner des précisions sur le jour, l'horaire, ce qu'il/elle peut apporter comme nourriture, et tu lui expliques comment venir chez toi (dans quelle rue, près de quel métro, en face de quel magasin, etc.).
(60 mots minimum)

.../10

4 💬 Production orale

Exercice 1 ▶ pour s'entraîner à la partie 1 de l'épreuve orale : l'entretien dirigé   .../2

Tu parles de toi, de ta famille, de ton collège. Tu dis où tu habites.
Tu parles des activités que tu fais avec tes amis.

Exercice 2 ▶ pour s'entraîner à la partie 2 de l'épreuve orale : le monologue suivi   .../4

Au choix :

MA VILLE Tu parles de ta ville, de ton quartier. Tu parles des activités qu'on peut faire dans ta ville et tu parles des magasins.	**MES REPAS** Tu dis combien de repas tu fais par jour. Tu expliques ce que tu manges. Tu dis ce que tu aimes manger et ce que tu n'aimes pas manger.

Exercice 3 ▶ pour s'entraîner à la partie 3 de l'épreuve orale : l'exercice en interaction   .../4

PAR DEUX. Tu es en vacances à Tours avec un(e) ami(e) français(e). Vous voulez visiter la ville. Vous vous mettez d'accord sur un programme de visite (lieux, moyens de transport, activités).

La cathédrale

Le Vieux-Tours

L'hôtel de ville

Le tramway

La Loire

.../10

.../40

Amis et solidaires

1 Montre sur les photos :
a. des selfies d'amis ;
b. des amis solidaires.

2 Qu'est-ce que tu fais avec tes amis ?

Apprenons à...
• parler de l'amitié et de la personnalité
• parler de nos relations et de nos émotions
• parler de l'entraide et de la santé

Et ensemble...
organisons une grande fête de l'amitié et de la solidarité au collège

+ VIDÉO ▶
SÉQUENCE 3

Parlons de l'amitié et de la personnalité

Quel(le) ami(e) tu es ?

1 Pour toi, l'amitié, c'est :

△ avoir un ou une meilleur(e) ami(e).

☐ avoir une bande de super copains ou copines.

● avoir des amis sur Internet, au collège, en vacances, etc.

2 Ton/Ta meilleur(e) ami(e) rencontre un(e) nouvel(le) ami(e) :

● tu n'es pas inquiet/inquiète : on est copains, mais on est libres !

△ tu es jaloux/jalouse : tu as peur de perdre ton/ta meilleur(e) ami(e)...

☐ tu es content(e) : les amis de tes amis sont tes amis !

24

3 Ton/Ta meilleur(e) ami(e) répète ton secret :

 TEST

☐ tu es en colère, tu vas avec tes autres ami(e)s...

● pas de problème : ce n'est pas important, ce secret.

△ tu es triste, mais c'est toujours ton ami(e).

Résultats

Maximum de ☐ : tu es un(e) « ami(e)-copain/copine ». Tu as beaucoup d'amis, ils sont tous importants pour toi.

Maximum de △ : tu es un(e) ami(e) pour la vie ». Pour toi, l'amitié, c'est pour toujours.

Maximum de ● : tu es un(e) ami(e) indépendant(e). Les copains, c'est super, mais ça change souvent !

25

---

1 Lis le test ① et réponds.
a. Quel est le sujet du test ?
b. On parle des sentiments suivants dans quelle(s) partie(s) du test ?

2 💬 EN PETITS GROUPES. Associez chaque sentiment de l'activité **1** à une situation de vie avec un(e) ou des ami(e)s.
Lisez vos situations aux autres groupes.
Ils devinent vos sentiments.

> Notre meilleur ami part dans un autre collège.

> Vous êtes tristes !

3 Fais le test ①. Quel(le) ami(e) tu es ?
Partage tes résultats avec la classe.

4 Lis l'article ②. Choisis la bonne réponse.
a. Un portrait-robot, c'est :
1. les caractéristiques d'une personne.
2. la description d'un ami.
3. la photo d'une personne.
b. Être populaire, c'est :
1. être un(e) bon(ne) élève.
2. ne pas avoir d'amis au collège.
3. être la « star » du collège.

5 🎧 42 Écoute les deux amies et réponds.
a. De qui elles parlent ?
b. Est-ce qu'elles sont d'accord ?

2 ▶ # Être populaire au collège

C'est une star à la récré, tout le monde veut être son ami(e)… Comment est le ou la populaire ? **Portrait-robot.**

Donne ton avis sur blog.generationado.fr
Être populaire, c'est bien ?

C'est super d'être populaire ? Oui, mais

Génération **ADO**

intelligent(e)

curieux/curieuse

gentil(le)

pas timide

dynamique

joyeux/joyeuse et rigolo(te)

généreux/généreuse

---

6 **Réécoute.**

a. Classe les étiquettes dans les bulles.

b. **Quelles étiquettes correspondent à une caractéristique citée dans l'article** ② ?

sympa   toujours contente   drôle

méchante   pas toujours naturelle

s'intéresse à beaucoup de choses

aide beaucoup les autres   pas sincère

1 J'adore Marianne ! Elle…

2 Pas moi ! Elle…

7 💬 PAR DEUX. **Relisez l'article** ② **et discutez. Quelles caractéristiques du/de la populaire vous aimez chez un(e) ami(e) ?**

Moi, j'aime bien les amis rigolos et dynamiques !

8 💬 EN PETITS GROUPES. **Répondez à la question de l'article** ② : être populaire, c'est bien ? **Partagez vos réponses avec la classe.**

Oui, c'est bien, parce qu'on a beaucoup d'amis !

Mais parfois, ce sont de faux amis !

---

9 💬 PAR DEUX. **Pose des questions à ton/ta camarade sur son caractère et fais son portrait-robot.**

43 ## VOCABULAIRE

Le caractère

curieux/curieuse
dynamique
généreux/généreuse
gentil/gentille
indépendant(e)
intelligent(e)
joyeux/joyeuse
méchant(e)
naturel/naturelle
populaire
sincère
timide
rigolo/rigolote

▶ n° 1 et 5 p. 46

Les sentiments (m.)

DICO p. 117

en colère
content(e)
inquiet/inquiète
jaloux/jalouse
triste

▶ n° 2 et 6 p. 46

L'amitié (f.)

un(e) meilleur(e) ami(e)
une bande de copains/copines

Exprimer un avis contraire

Elle est intelligente, **mais** elle n'est pas toujours naturelle !

VIRELANGUE 44

Les sons [ʃ] comme dans *chanter* **et [ʒ] comme dans** *jouer*

Écoute et répète le plus rapidement possible.

Charlie et Julian sont des collégiens charmants : chaque jour généreux, chaque jour joyeux, toujours gentils, jamais méchants !

▶ n° 7 p. 47

Parlons de nos relations et de nos émotions

1 Lis le courrier des lecteurs. De quels problèmes parlent ces ados ? Associe chaque texte à un dessin.

100% questions ados

Ma copine veut toujours être avec moi. Elle est sympa, mais moi, j'ai besoin de rencontrer d'autres amis. Et j'ai peur de parler de ça avec elle...

Éloïse, 13 ans.

J'adore rigoler avec mes copains... mais moi, je raconte très mal les blagues. J'ai honte parce que je voudrais être drôle moi aussi !

Hector, 12 ans

Je suis nouveau au collège et c'est difficile ! J'ai mal au ventre tous les matins quand je vais au collège. J'ai chaud ou j'ai froid quand je parle à un élève de ma classe et, à la cantine, je ne mange pas parce que je n'ai pas faim. Parfois, j'ai envie de pleurer...

Valentin, 12 ans

... réponses à vos problèmes

2 Relis le courrier des lecteurs de l'activité **1**.

a. Quel(s) ado(s) éprouve(nt) ces émotions ?

a   b   c

b. Valentin éprouve ces sensations dans quelle(s) situation(s) ?

a   b   c

45 Pour exprimer ses sensations et ses émotions

<u>Avoir</u> **chaud, froid, faim**
J'ai froid, j'ai chaud et je n'ai pas faim.

<u>Avoir</u> **mal (à, au, aux)**
J'ai mal au ventre.

<u>Avoir</u> **honte, peur, besoin, envie (de)**
J'ai honte.
J'ai peur de parler de ça.
J'ai besoin de rencontrer d'autres copains.
J'ai envie de pleurer.

▶ n° 3 p. 46

46 Pour expliquer une situation

J'ai chaud ou j'ai froid **quand** je parle à un élève de ma classe.
= **Quand** je parle à un élève de ma classe, j'ai chaud ou j'ai froid.

▶ n° 8 p. 47

3 💬 PAR DEUX. Dans quelles situations tu éprouves les sensations ou les émotions suivantes ? Compare avec ton/ta camarade.

J'ai chaud quand...

Je rigole quand...

Je n'ai pas faim quand...

J'ai honte quand...

J'ai mal au ventre quand...

J'ai peur quand...

Je pleure quand...

4 Lis les réponses au courrier des lecteurs et associe-les aux problèmes de l'activité **1**.

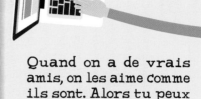

Vos réponses à vos problèmes.

Moi aussi, je suis nouveau au collège. Mais aujourd'hui, ma classe, je l'aime bien. Et ma nouvelle vie, je ne la déteste pas ! Toi aussi, tu vas l'aimer, ta nouvelle classe !

Bastien, 13 ans

Moi aussi, j'ai un copain comme ça ! Je l'aime bien, mais je ne le rencontre jamais seul, toujours avec d'autres copains… Et je ne l'appelle pas trop souvent !

Noémie, 13 ans

Quand on a de vrais amis, on les aime comme ils sont. Alors tu peux être toi-même !

Adèle, 14 ans

5 Relis le document de l'activité **4** et retrouve quel ado donne ces réponses.

a
On aime nos vrais amis comme ils sont.

b
Je n'appelle pas mon copain trop souvent.

c
Je ne déteste pas ma nouvelle vie.

---

47 Les pronoms COD *le, la, les, l'*

Je ne rencontre jamais **mon copain** seul.
→ Je ne **le** rencontre jamais seul.

J'aime bien **mon copain**. → Je **l'**aime bien.

Je ne déteste pas ma nouvelle vie.
→ Je ne **la** déteste pas.

J'aime bien ma classe. → Je **l'**aime bien.

On aime **nos vrais amis** comme ils sont.
→ On **les** aime comme ils sont.

⚠ Avec un infinitif : *Tu vas **l'**aimer.*

▶ n° 9 p. 47

PHONÉTIQUE **48**

L'élision

Écoute et répète les exemples ci-dessus. Comment on prononce *l'* devant une voyelle ?

▶ n° 10 p. 47

---

6 Qu'est-ce que tu fais dans ces situations ? Réponds avec un pronom COD et les verbes suivants.

écouter   répéter   aider

appeler   ~~inviter~~

▶ *Un garçon de ta classe est souvent seul parce qu'il est nouveau. > Je l'invite à une sortie !*

a. Ton meilleur ami ne comprend pas un exercice de maths.
b. Ton copain téléphone parce qu'il a un problème.
c. Tes deux meilleures copines ne sont pas au collège aujourd'hui.
d. Ta meilleure amie raconte un secret très important.

Action!

7 EN PETITS GROUPES. **Explique un problème de relation avec un(e) ami(e). Les autres proposent une solution à ton problème. Mettez en commun avec la classe.**

---

49 VOCABULAIRE (DICO p. 117)

Les relations (f.)
aider (un ami)
appeler (un ami)
pleurer
raconter un secret / des blagues / un problème (à un ami)
rencontrer (un ami)
rigoler

Les sensations et les émotions
le besoin
l'envie (f.)
la faim
la honte
la peur

Parlons de l'entraide et de la santé

1 Observe le site Internet. À ton avis, l'entraide, qu'est-ce que c'est ?

ENTR@IDE ADOS

| Témoignages | Idées | Questions |

Pas besoin d'aller loin pour aider les autres !

Anaïs   Léonard   Eliot

2 (50) Écoute Anaïs, Léonard et Eliot. Qui est-ce qu'ils aident ? Associe.

Anaïs   Léonard   Eliot

3 (50) Réécoute. Comment Anaïs, Léonard et Eliot aident ces personnes ?

 Pour parler de la santé et des secours

être fatigué(e) / malade
avoir un bras / une jambe cassé(e)
avoir un handicap
aller chez le médecin / à l'hôpital
(se) soigner
appeler les pompiers / le 18
porter secours

▶ n° 4 et 11 p. 46-47

4 PAR DEUX. Que faites-vous dans ces situations ? Trouvez des solutions et mettez-les en commun avec la classe.

Je suis malade.

J'ai un bras cassé.

Mon ami a un accident de vélo devant moi.

Je suis très fatigué.

Ma voisine a très mal au pied, elle ne peut pas marcher.

5 Lis cette autre page du site Internet. Quelles sont les trois grandes catégories d'aide ?

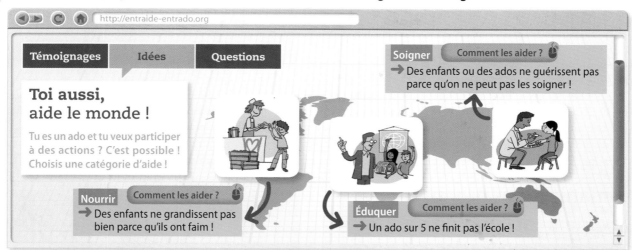

Toi aussi, aide le monde !

Tu es un ado et tu veux participer à des actions ? C'est possible ! Choisis une catégorie d'aide !

Témoignages Idées Questions

Soigner Comment les aider ? → Des enfants ou des ados ne guérissent pas parce qu'on ne peut pas les soigner !

Nourrir Comment les aider ? → Des enfants ne grandissent pas bien parce qu'ils ont faim !

Éduquer Comment les aider ? → Un ado sur 5 ne finit pas l'école !

6 Relis la page du site Internet de l'activité **5**. Quel est le problème cité dans chaque catégorie ?

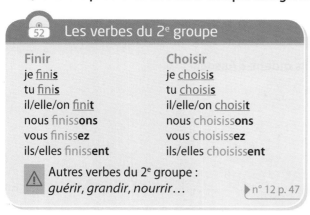

52 Les verbes du 2ᵉ groupe

Finir
je fini**s**
tu fini**s**
il/elle/on fini**t**
nous finiss**ons**
vous finiss**ez**
ils/elles finiss**ent**

Choisir
je choisi**s**
tu choisi**s**
il/elle/on choisi**t**
nous choisiss**ons**
vous choisiss**ez**
ils/elles choisiss**ent**

⚠ Autres verbes du 2ᵉ groupe : *guérir, grandir, nourrir…* ▶ nº 12 p. 47

7 Complète avec un verbe du 2ᵉ groupe.

a Nous soignons les enfants malades et ils … .

b Elle n'a pas assez à manger, alors elle ne … pas bien.

c Des personnes ont faim, nous les … .

d Vous … de participer à quelle action ?

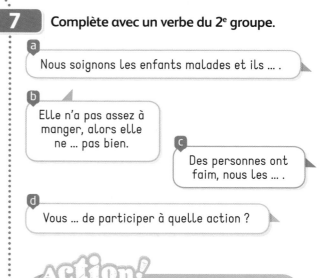

Action!

8 EN PETITS GROUPES. **Choisissez une catégorie d'aide (nourrir, soigner, éduquer) et imaginez une action à proposer dans votre quartier. La classe vote pour la meilleure action.**

Nous choisissons de soigner les enfants malades. Nous donnons des jeux à l'hôpital pour les aider à guérir !

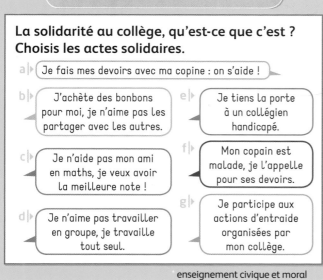

Mon **COURS** d'ECM*

La solidarité au collège, qu'est-ce que c'est ? Choisis les actes solidaires.

a ▶ Je fais mes devoirs avec ma copine : on s'aide !

b ▶ J'achète des bonbons pour moi, je n'aime pas les partager avec les autres.

e ▶ Je tiens la porte à un collégien handicapé.

c ▶ Je n'aide pas mon ami en maths, je veux avoir la meilleure note !

f ▶ Mon copain est malade, je l'appelle pour ses devoirs.

d ▶ Je n'aime pas travailler en groupe, je travaille tout seul.

g ▶ Je participe aux actions d'entraide organisées par mon collège.

enseignement civique et moral

53 VOCABULAIRE

La santé DICO p. 117

un accident — les pompiers (m.) — fatigué(e)
un handicap — les secours (m.) — malade
un médecin — ▶ nº 4 p. 46

Des actions de Solidarité

Aider, c'est facile : les grandes organisations proposent des événements près de chez toi. Tu peux participer seul(e), avec ton collège ou ta famille !

FAIRE PLEURER UN ENFANT, ÇA PEUT LUI SAUVER LA VIE.

Un enfant meurt toutes les 7 secondes faute d'accès aux soins.
Faites un don sur makeachildcry.com

MÉDECINS DU MONDE
SOIGNE AUSSI L'INJUSTICE

PYRAMIDE DE CHAUSSURES
VENEZ SOUTENIR LES VICTIMES

#PYRAMIDE2CHAUSSURES

PROTÉGEONS LES POPULATIONS CIVILES, PREMIÈRES VICTIMES DES GUERRES !

26 SEPTEMBRE 2015
DANS UNE VINGTAINE DE VILLES EN FRANCE

HANDICAP INTERNATIONAL

ACTION CONTRE LA FAIM

LA COURSE CONTRE LA FAIM
20 mai 2016
19e édition

VOTRE PROJET CITOYEN, SOLIDAIRE ET SPORTIF

PRIMAIRE COLLÈGE LYCÉE

www.actioncontrelafaim.org

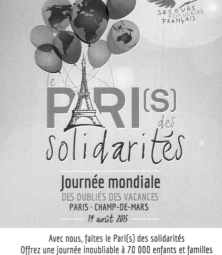

70 ans
SECOURS POPULAIRE FRANÇAIS

le PARI(S) des solidarités

Journée mondiale
DES OUBLIÉS DES VACANCES
PARIS · CHAMP-DE-MARS
19 août 2015

Avec nous, faites le Pari(s) des solidarités
Offrez une journée inoubliable à 70 000 enfants et familles

Soutenez le Pari(s) des solidarités sur
www.carresolidaire.fr

13

1 Vous connaissez des organisations internationales qui font des actions solidaires dans votre pays ou dans le monde ?

2 Regardez les documents et trouvez le nom de quatre organisations françaises.

3 Écoute. Ils participent à quelle organisation ?

4 Choisissez l'action que vous préférez. Expliquez votre choix à la classe.

ENSEMBLE POUR...

organiser une grande fête de l'amitié et de la solidarité au collège

1 EN PETITS GROUPES Préparez le programme de votre fête de l'amitié et de la solidarité sur une journée. Imaginez :
– des actions d'entraide entre élèves ;
– des rencontres.

2 Inventez un « jeu de l'amitié » ou un « jeu de la solidarité ».

– 2 joueurs (2 meilleur(e)s ami(e)s)
– 10 questions sur « la personnalité de ton/ta meilleur(e) ami(e) »

Un joueur pose des questions sur lui-même à son/sa meilleur(e) ami(e). Il/Elle répond par « oui » ou « non ».

L'ami(e) compte les points : 1 point = une réponse correcte. Total sur 10 points.

Résultats :

- Entre 8 et 10 points : tu es un(e) très bon(ne) meilleur(e) ami(e).
- Entre 6 et 8 points : tu es un(e) bon(ne) meilleur(e) ami(e).
- moins de 6 points : est-ce que c'est vraiment ton/ta meilleur(e) ami(e) ?

3 Faites une affiche pour votre fête de l'amitié et de la solidarité avec le programme.

Grande fête de l'amitié et de la solidarité

Jeudi 20 octobre de 14 h à 17 h

Salle informatique : jeux

De 14 h à 15 h 30 → Jeu de l'amitié
De 15 h 30 à 17 h → Jeu de la solidarité

Cantine : actions de solidarité

De 14 h à 15 h → Action « parler de ses problèmes »
De 15 h à 16 h → Action « aide aux devoirs »
De 16 h à 17 h → Action « comment porter secours à un collégien »

Bibliothèque : rencontres

De 14 h à 17 h → Faites des selfies entre amis !

4 Présentez votre affiche avec le programme de votre fête aux autres groupes. Testez votre jeu avec la classe.

LA CLASSE DONNE SON AVIS SUR...

LE PROGRAMME ET L'AFFICHE   + ++ ++   LE JEU   + ++ ++

VIDÉO SÉQUENCE 3

Entraînement

👥 Entraînons-nous

▶ **Le caractère**

1 EN PETITS GROUPES. **Mémorisez les mots suivants en une minute. Puis fermez votre livre. Écrivez ensemble le maximum de mots mémorisés et comparez avec les autres groupes.**

dynamique — joyeuse — MÉCHANT — gentil — timide — naturel — populaire — rigolo — généreuse — INDÉPENDANTE

▶ **Les sentiments**

2 EN PETITS GROUPES. **Mime un sentiment. Tes camarades devinent de quel sentiment il s'agit.**

> Tu es contente !

▶ **Exprimer ses sensations et ses émotions**

3 PAR DEUX. **Exprime une sensation ou une émotion. Ton/Ta camarade explique quel est ton besoin.**

> J'ai faim !

> Tu as besoin de manger !

▶ **Parler de la santé et des secours**

4 EN PETITS GROUPES. **Choisis une étiquette et fais deviner le mot à tes camarades.**

les pompiers — un malade — l'hôpital — une jambe cassée — un médecin — fatigué

> Cette personne soigne les malades.

> Un médecin.

👤 Entraîne-toi

▶ **Le caractère**

5 **Quel est leur caractère ? Associe.**

a. Émile raconte toujours des histoires drôles à ses amis !
b. Anne-Lise n'aime pas parler devant les autres.
c. Louis adore donner des bonbons à ses copains !
d. Clément rigole des problèmes des autres.
e. Laïla aime bouger et participer.
f. Pauline aime faire des activités seule, être libre.
g. Zélie pose beaucoup de questions.

1. Il est généreux.
2. Elle est dynamique.
3. Il est méchant.
4. Elle est timide.
5. Il est rigolo.
6. Elle est curieuse.
7. Elle est indépendante.

▶ **Les sentiments**

6 **Reconstitue les mots et mets-les à la bonne place.**

ENCONTET — TSRIET — JOUASLE — NE CORELÈ — QUIINET

a. Il pleure parce qu'il est ... .
b. Elle rigole parce qu'elle est ... .
c. Il est tout rouge parce qu'il est ... .
d. Il l'appelle tous les jours parce qu'il est ... .
e. Elle ne veut plus être son amie parce qu'elle est ... .

▸ PHONÉTIQUE. Les sons [ʃ] et [ʒ]

7 Écoute et classe les mots dans le tableau.

55

[ʃ] comme dans *chanter*	[ʒ] comme dans *jouer*
…	…

▸ Exprimer ses sensations et ses émotions / Expliquer une situation

8 Remets les phrases dans l'ordre.

a. n'ai / peur / je / quand / suis / copines. / mes / pas / avec / Je

b. Quand / de / ma / a / besoin / moi, / viens. / meilleure / je / amie

c. froid / de / tu / es / quand / loin / moi. / J'ai

d. mon / envie / parle / avec / Quand / d'autres / pleurer. / amis, / j'ai / de / ami

e. je / ce / garçon, / j'ai / Quand / mal / ventre. / vois / au

▸ Les pronoms COD *le, la, les, l'*

9 Ecoute les questions et réponds avec *le, la, les ou l'*.

56

▸ *Tu invites souvent Marie ?*
> *Oui, je l'invite souvent.*

a. Oui, …

b. Non, …

c. Oui, …

d. Non, …

e. Oui, …

▸ PHONÉTIQUE. L'élision

10 Écoute les phrases et choisis le pronom correct.

57

a. l' / le / les

b. l' / le / les

c. l' / le / les

d. l' / le / les

e. l' / le / les

▸ Parler de la santé et des secours

11 Complète les légendes.

a

Il est …

b

Elle est …

c

Le médecin la …

d

Il a un …

e

Ils portent …

▸ Les verbes du 2ᵉ groupe

12 Conjugue les verbes.

a. Nous (choisir) d'aider les enfants malades.

b. Cette histoire d'amitié ne (finir) pas bien.

c. Tu te soignes et tu (guérir) !

d. Les ados (grandir) chaque jour.

e. Vous (choisir) bien vos amis, ils sont sympas !

f. Je (finir) mon exercice et j'aide mon copain !

Évaluation

1 Écoute et associe chaque prénom aux propositions correctes.

a. est malade
b. est fatigué(e)
c. a mal au ventre
d. a mal à la tête
e. va au collège
f. apporte les devoirs
g. a besoin d'aide
h. va aller chez le médecin
i. va aller à l'hôpital
j. a chaud
k. a froid
l. est gentil(le)
m. se soigne

Elsa

Baptiste

.../5

2 PAR DEUX.

Choisis cinq éléments pour parler de ton caractère à ton/ta camarade. Donne des exemples.

indépendant(e)   jaloux/jalouse   timide

généreux/généreuse   inquiet/inquiète

joyeux/joyeuse   dynamique   sincère

rigolo(te)   curieux/curieuse   en colère

> Je suis joyeux parce que j'aime la vie et je suis rigolo parce que j'aime bien raconter des blagues. Mais je suis un peu inquiet quand c'est difficile au collège...

.../5

3 Lis le forum et réponds.

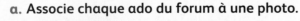

Un meilleur ami, qu'est-ce que c'est ?

Raph : Avec ma bande de copains, on rigole, on s'amuse. Mais avec mon meilleur ami, c'est différent : on parle de choses importantes, on partage des secrets.

Tiphi : Ma meilleure amie n'a pas besoin de parler, je la comprends parce que je la connais très bien ! Mais elle et moi, on a toujours beaucoup de choses à raconter : je l'appelle tous les jours quand je ne la vois pas.

Vav@ : Ma meilleure amie et moi, on a les mêmes goûts. On écoute beaucoup de musique ensemble, on fait les mêmes activités... Pour moi, la vraie amitié ne finit jamais !

a. Associe chaque ado du forum à une photo.

b. Vrai ou faux ? Justifie.
1. Raph et Tiphi ne parlent pas beaucoup avec leur meilleur(e) ami(e).
2. Pour Vav@, la vraie amitié, c'est pour toujours.

.../5

4 Participe au forum. Réponds à la question et parle de ton/ta meilleur(e) ami(e) en cinq phrases.

.../5

.../20

> Prêts pour l'étape 4 ?

Informons-nous !

1 Regarde les photos et trouve :
a. des magazines ;
b. un(e) jeune journaliste ;
c. une caméra.

2 Quel(s) magazine(s) tu connais ?

Apprenons à...
• parler de la presse et des médias
• raconter des faits divers
• faire des recommandations

Et ensemble...
créons la une du journal du collège pour
la Semaine de la presse et des médias

VIDÉO
SÉQUENCE 4

Parlons de la presse et des médias

1

23e SEMAINE **DE LA PRESSE ET DES MÉDIAS DANS L'ÉCOLE**

PRESSE

2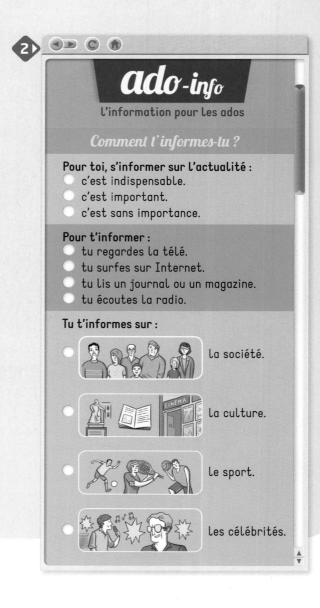

ado-info

L'information pour les ados

Comment t'informes-tu ?

Pour toi, s'informer sur l'actualité :
- c'est indispensable.
- c'est important.
- c'est sans importance.

Pour t'informer :
- tu regardes la télé.
- tu surfes sur Internet.
- tu lis un journal ou un magazine.
- tu écoutes la radio.

Tu t'informes sur :
- la société.
- la culture.
- le sport.
- les célébrités.

1 **Lis l'affiche ① et réponds.**
a. **Quel est l'événement ?**
b. **Associe.**

la presse • • la radio, la télé, les journaux, les magazines, Internet
les médias • • les journaux et les magazines

2 **Observe les dessins de l'affiche ① et trouve :**
a. un journal, une caméra, un appareil photo, un micro ;
b. un reporter, un journaliste, une dessinatrice, une présentatrice.

3 **EN PETITS GROUPES. Imaginez : vous participez à la Semaine de la presse et des médias dans votre collège. Quel est votre rôle ? Expliquez pourquoi.**

reporter   journaliste   dessinateur/dessinatrice   présentateur/présentatrice

Moi, je suis reporter parce que j'adore voyager et prendre des photos !

FRANCE   p. 8

Que faire pour la Semaine de la presse et des médias au collège ?

70 %
des Français lisent un livre minimum par an.

8 💬 **PAR DEUX. Choisissez un journal ou un magazine et présentez-le à la classe (le nom, la une, les gros titres, les sujets…).**

59 VOCABULAIRE

La presse et les médias
(DICO p. 117)

un article
une caméra
un dessinateur / une dessinatrice
l'information (f.)
un journal
un(e) journaliste
un magazine
un micro
un présentateur / une présentatrice
un quotidien
un reporter
un (gros) titre
la une

s'informer
lire
surfer (sur Internet)   ▶ n° 1 p. 58

Les sujets d'actualité

les célébrités (f.)
la culture
la société

Donner son avis

C'est indispensable.
C'est important.
C'est sans importance.

---

4 **Lis le site Internet** ② **et réponds.**
a. C'est une enquête sur quoi ?
b. Quels dessins du document ① tu peux associer à la partie « Pour t'informer » ?

5 💬 **Réponds à l'enquête du site Internet** ②**. Partage tes réponses avec la classe.**

6 **Regarde le document** ③**. Qu'est-ce que c'est ?**
a. Un article de journal.
b. La une d'un journal.
c. Une page de site Internet.

7 **Lis le document** ③**. Vrai ou faux ? Justifie tes réponses.**
a. C'est un journal pour les adultes.
b. Ce journal sort tous les mois.
c. Le gros titre annonce un article sur la presse.
d. La une donne d'autres informations.

┌─────────────────────────────────┐
│ VIRELANGUE   60   │
│   │
│ **Les sons** [k] **comme dans** *carotte* **et** [g] **comme dans** *gâteau* │
│   │
│ **Écoute et répète le plus rapidement possible.** │
│   │
│ Gaston et Gustave ont un grand micro et une grande caméra et ils posent des questions pour le magazine de l'école. │
│   ▶ n° 5 p. 59 │
└─────────────────────────────────┘

LEÇON 2

Racontons des faits divers

1 Lis les titres de presse. De quoi ils parlent ? Choisis deux réponses.

LA CHANTEUSE GIGI A PLEURÉ À LA TÉLÉ !

À 12 ans, ils ont acheté une voiture !

a. De culture.
c. De faits divers.
b. De célébrités.
d. De sport.

Des collégiens ont rencontré un drôle de professeur !

Le musicien Johnny Paradis a choisi d'habiter à Paris !

2 Relis les titres de presse de l'activité **1**. Ce sont des événements passés, présents ou futurs ?

passé ———————— présent ———————— futur

61 Le passé composé avec *avoir*

On utilise le passé composé pour parler d'événements passés.
Il se forme en général avec *avoir* au présent + un verbe au participe passé.

Les verbes du 1er groupe ont un participe passé en *-é*.

j'**ai** acheté	il/elle/on **a** acheté	vous **avez** acheté
tu **as** acheté	nous **avons** acheté	ils/elles **ont** acheté

Les verbes du 2e groupe ont un participe passé en *-i*.

j'**ai** choisi	il/elle/on **a** choisi	vous **avez** choisi
tu **as** choisi	nous **avons** choisi	ils/elles **ont** choisi

▸ n° 2 p. 58

PHONÉTIQUE 62

Le passé composé et le présent

Écoute. Tu entends le passé composé ou le présent ?

▸ n° 3 p. 58

3 PAR DEUX. **Choisis deux verbes pour raconter à ton/ta camarade deux événements passés de ta journée. Il/Elle les écrit comme des titres de presse.**

manger   choisir   acheter

finir   écouter   télécharger

jouer   surfer   préparer

J'ai mangé à la cantine.

Ce midi, Paola a mangé à la cantine !

4 Lis l'article. Il correspond à quel titre de presse de l'activité **1** ?

MON INFO

Tu as lu cette info ?

Hier, des élèves du collège Voltaire ont vu un drôle de professeur entrer dans la classe : un petit singe !
L'animal a fait le tour de la classe, il a salué chaque élève et a volé trois sacs. Puis il a pris la place du professeur devant le tableau. Des adolescents ont eu peur, d'autres ont beaucoup rigolé.
Le directeur du collège a été témoin de la scène et a téléphoné à la police. Les policiers ont pu retrouver ses propriétaires : un cirque installé à côté du collège. Quand la police a interrogé les propriétaires de l'animal, ils ont expliqué : « C'est un petit singe très curieux ! Il aime se promener et il adore les enfants ! ».

5 Relis l'article de l'activité **4**. Mets les dessins dans le bon ordre et justifie tes réponses.

> **63** Quelques participes passés irréguliers
>
> avoir → eu   pouvoir → pu
> être → été   prendre → pris
> faire → fait   voir → vu
> lire → lu
>
> ▶ n° 6 p. 59

6 💬 AVEC LA CLASSE. **Raconte une petite histoire rigolote au passé. La classe devine si elle est vraie ou fausse.**

> Un jour, ma grand-mère a fait du skate.

7 🔊 64 **Écoute Manon et Tom. Vrai ou faux ?**
a. Ils parlent de quatre faits divers.
b. Ce sont des faits divers tristes.
c. Tom est étonné par ces faits divers.

> **65** Pour exprimer son étonnement
>
> C'est incroyable ! / C'est dingue ! / C'est fou !
>
> ▶ n° 7 p. 59

8 🔊 64 **Réécoute Manon et Tom.**
a. **Quel fait divers est le plus étonnant pour toi ?**
b. **Associe chaque fait divers à un moment dans le passé.**
  1. Hier, …
  2. La semaine dernière, …
  3. L'année dernière, …

  a. … une petite fille de 5 ans a porté secours à sa grand-mère malade.
  b. … un enfant de 8 ans a créé un jeu vidéo.
  c. … une bande de copains a dessiné une fresque sur le mur de leur immeuble.

> **66** Pour situer un événement dans le passé
>
> **Hier / La semaine dernière / L'année dernière**, un enfant de huit ans **a créé** un jeu vidéo.
>
> ▶ n° 8 p. 59

Action !

9 EN PETITS GROUPES. **Choisissez un titre de presse de l'activité 1 et imaginez un fait divers étonnant. Écrivez un court article pour le journal du collège. Affichez vos articles et votez pour le plus étonnant.**

> **67** VOCABULAIRE
>
> **Le fait divers** DICO p. 117
>
> la police / les policiers   interroger
> le témoin   voler

Faisons des recommandations

1 Écoute l'enquête et observe les écrans. Que regarde l'adolescente sur Internet et à la télévision ?

Sur Internet

a
b
c **accessoires**.mode

15 € 27 €

d
Salut, ça va ?
Super ! Et toi ?
Oui ! Tu vas à l'école ?
Non, je suis malade 😊.

À la télévision

a
b
c
d

2 Réécoute et regarde les notes du journaliste. Il pose les questions dans quel ordre ?

→ Que fais-tu sur Internet ?

→ Regardes-tu souvent la télé ?

→ As-tu un ordinateur ?

→ Quand regardes-tu la télé ?

→ Que regardes-tu à la télé ?

→ Vas-tu souvent sur Internet ?

69 Pour poser une question formelle

As-**tu** un ordinateur ?
Que fais-**tu** sur Internet ?
Quand regardes-**tu** la télé ?

▸ n° 4 et 9 p. 59

3 PAR DEUX. Écris trois questions formelles avec les verbes suivants. Puis pose-les de manière informelle à ton/ta camarade. Il/Elle te répond.

utiliser avoir jouer
chatter regarder écouter

Utilises-tu Internet pour faire tes devoirs ?

Est-ce que tu utilises Internet pour faire tes devoirs ?

Mon COURS d'INFORMATIQUE

1. Trouve les trois mots pour désigner *Internet* en français :
a. le Net
b. la Page
c. le Web
d. la Toile

2. Quand on est sur Internet, on est (2 réponses) :
a. en communication
b. en ligne
c. inscrit
d. connecté

3. Google est :
a. un moteur de recherche
b. un site Internet
c. une page Internet

---

4 Lis l'affiche ci-dessous. Qu'est-ce qu'elle propose ? Choisis la réponse correcte.
a. Des recommandations pour s'inscrire sur un réseau social.
b. Des recommandations pour faire des recherches sur Internet.
c. Des recommandations pour bien utiliser Internet.

5 conseils pour rester prudent sur **le Web**

N'utilise pas ton vrai nom. Utilise un pseudo. **1**

Ne donne pas trop d'informations personnelles. **2**

Ne va pas sur des sites interdits aux ados. **3**

Ne partage pas tes photos avec tout le monde. **4**

Choisis un mot de passe compliqué : n'utilise pas ta date de naissance ou ton pseudo. **5**

Plus d'informations sur www.web.ado.fr

5 Relis l'affiche de l'activité **4**. Qu'est-ce qu'on conseille de ne pas faire sur Internet ?

70 L'impératif négatif

Ne donne **pas** trop d'informations personnelles.

⚠ **N'**utilise pas ton vrai nom.

▸ n° 10 p. 59

---

6 💬 PAR DEUX. **Fais des recommandations à ton/ta camarade sur les activités suivantes.**

aller sur les réseaux sociaux

donner son numéro de téléphone

partager des vidéos

consulter des sites

Ne va pas sur des réseaux sociaux interdits aux ados.

Action!

7 EN PETITS GROUPES. **Faites une enquête sur la télé. Écrivez cinq questions et posez-les à un autre groupe. À partir des réponses, faites des recommandations comme dans l'affiche de l'activité 4.**

Regardes-tu la télé le soir ?

Ne regarde pas trop la télé le soir.

71 VOCABULAIRE

La télé(vision)
une émission   une série   la téléréalité

L'Internet (m.)
le moteur de recherche   le Web
le Net   chatter
une tablette   être en ligne/connecté(e)
la Toile

CULTURES

DES ÉMISSIONS POUR TOUS LES GOÛTS !

Les ados préfèrent l'ordinateur à la télé ? C'est vrai : chaque semaine, ils passent 13 h 30 sur le Web contre 11 h 15 devant la télé. Alors, quand ils sont devant leur poste, que regardent-ils ?

a **EURÊKA !** C'est une émission de documentaires scientifiques de 13 minutes pour les ados. Elle explique des phénomènes physiques et chimiques avec des expériences dans la nature.

b Beaucoup d'ados regardent cette série télévisée française. Elle raconte la vie d'un ado, Adam, avec sa famille et ses deux meilleurs amis, Slimane et Ludovic.

c  C'est une émission sur l'actualité de la télévision et des médias. Le présentateur, Cyril Hanouna, est une des personnalités préférées des ados.

EN PETITS GROUPES

1 🌍 Faites une liste d'émissions et de séries télé que vous connaissez.

2 Lis l'article. Pour chaque photo, trouve le titre du programme.

3 Relis l'article. Vrai ou faux ? Justifie tes réponses.
a. Dans *Soda*, on peut voir des expériences scientifiques.
b. Dans *Eurêka !*, on peut voir une famille.
c. Cyril Hanouna présente une émission sur la télé et les médias.
d. Cyril Hanouna est la personnalité préférée des ados.

4 Inventez une émission ou une série pour la télévision. Trouvez un titre et présentez-la à la classe.

ENSEMBLE POUR...

créer la une du journal du collège pour la Semaine de la presse et des médias

1 EN PETITS GROUPES Choisissez un nom pour le journal.

> On peut appeler notre journal *Le Quotidien des ados* ?

2 Écrivez trois titres pour la une et choisissez le titre principal.

> Le présentateur Cyril Hanouna est-il à l'hôpital ?

3 Choisissez deux titres de l'activité **2** et écrivez le début des articles.

LE QUOTIDIEN DES ADOS

Le présentateur Cyril Hanouna est-il à l'hôpital ?

Hier, le présentateur Cyril Hanouna a eu un accident de voiture. Il a eu un bras cassé...

N'écoute pas de musique avec un casque !

Écouter de la musique avec un casque, ce n'est pas bon pour ta santé...

4 Présentez votre une à la classe. Expliquez vos choix (nom du journal, titres et articles).

LA CLASSE DONNE SON AVIS SUR...

LE NOM DU JOURNAL ET LES TITRES   LES ARTICLES

... ET VOTE POUR LA MEILLEURE UNE.

VIDÉO ▶ SÉQUENCE 4

Entraînement

👥 Entraînons-nous

▶ **La presse et les médias**

1 **PAR DEUX. Choisis un dessin et dis ce que tu vois. Ton/Ta camarade trouve le dessin correspondant.**

a

LE QUOTIDIEN

Les ados aiment lire la presse

Une enquête sur les goûts des adolescents nous apprend que **62 %** des adolescents lisent le journal une fois par semaine. Ils aiment s'informer sur les célébrités…

b

d

c

e

Un article.   Dessin a !

▶ **Le passé composé avec *avoir***

2 **EN PETITS GROUPES. Choisis un verbe et un sujet. Tes camarades conjuguent au passé composé. Puis inversez les rôles.**

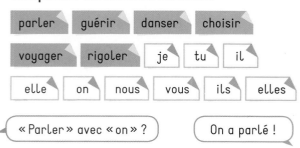

parler   guérir   danser   choisir

voyager   rigoler   je   tu   il

elle   on   nous   vous   ils   elles

« Parler » avec « on » ?   On a parlé !

▶ **PHONÉTIQUE. Le passé composé et le présent**

3 **PAR DEUX. Choisis une phrase et prononce-la. Ton/Ta camarade dit si c'est le passé composé ou le présent.**

a. J'achète un journal. – J'ai acheté un journal.
b. Je surfe sur Internet. – J'ai surfé sur Internet.
c. Je regarde la télé. – J'ai regardé la télé.
d. J'écoute la radio. – J'ai écouté la radio.
e. Je parle à la police. – J'ai parlé à la police.

▶ **Poser une question formelle**

4 PAR DEUX. **Imagine : ton/ta camarade est une célébrité. Transforme ces questions en questions formelles et pose-les à ton/ta camarade. Il/Elle te répond.**

a. Quand est-ce que vous regardez la télé ?

b. Qu'est-ce que vous regardez souvent à la télé ?

c. Est-ce que vous aimez les émissions de téléréalité ?

d. Est-ce que vous allez souvent sur Internet ?

e. Qu'est-ce que vous préférez faire sur Internet ?

> Quand regardez-vous la télé ?

👤 Entraîne-toi

▶ **PHONÉTIQUE. Les sons [k] et [g]**

5 **Écoute les mots. Tu entends [k] comme dans** _carotte_ **ou [g] comme dans** _gâteau_ **?**

[72]

▶ **Quelques participes passés irréguliers**

6 **Trouve les verbes irréguliers dans la liste et écris leur participe passé.**

avoir   pleurer   être   faire   soigner

lire   pouvoir   nourrir   prendre

▶ **Exprimer son étonnement**

7 **Trouve les mots pour exprimer l'étonnement.**

a. C'est i u n d g e !

b. C'est n i c l r o
        a b y e !

c. C'est u f o !

▶ **Situer un événement dans le passé**

8 **Remets les phrases dans l'ordre. Ajoute les majuscules et la ponctuation.**

a. article / nous / hier / lu / un / très / avons / drôle

b. rencontré / l' / ils / dernière / préféré / leur / année / chanteur / ont

c. la / fait / dernière / incroyable / elle / a / une / semaine / rencontre

▶ **Poser une question formelle**

9 **Lis les notes du journaliste et écris ses questions.**

> As-tu un téléphone ?

a. Oui, elle a un téléphone.

b. Elle n'utilise pas son téléphone à l'école.

c. Elle utilise son téléphone le soir et le week-end.

d. Avec son téléphone, elle écrit des SMS, écoute de la musique.

e. Non, elle ne va pas sur Internet avec son téléphone.

▶ **L'impératif négatif**

10 **Écoute. Transforme les phrases à l'impératif négatif.**

[73]

Évaluation

1 **74** Écoute le dialogue entre un professeur et des collégiens et réponds.

a. Qu'est-ce que les collégiens préparent ?

b. Qu'est-ce qu'ils ont fait ? Associe.

| Mathias | Clara | Michael | des dessins | une enquête | un article |

c. Quelles sont les trois questions de l'enquête ?

d. Trouve les deux dessins pour la une.

.../5 **e.** De quoi parle l'article ?

2 💬 PAR DEUX. Imagine : c'est la semaine de la presse. Tu es journaliste. Prépare cinq questions sur les journaux et les magazines et pose-les à ton/ta camarade. Il/Elle te répond.

.../5
> Quand préfères-tu lire les journaux ou les magazines ?

3 📖 Lis. Vrai ou faux ?

Salut Tom,
Hier, j'ai lu un article très intéressant sur les réseaux sociaux pour ados. Et toi, tu vas souvent sur les réseaux sociaux ! Cet article donne beaucoup de conseils pour être prudent. Par exemple, ne choisis pas un mot de passe simple ou ne partage pas tes photos avec tout le monde. Toi, tu partages beaucoup de photos de ta famille et de tes amis, fais attention !
Tu peux avoir plus de conseils ici : http//ado-net.com
Bises
Élise

a. Élise écrit à Tom.

b. Élise a écrit un article sur les réseaux sociaux pour ados.

c. Tom ne partage pas beaucoup de photos sur Internet.

d. C'est bien de choisir un mot de passe simple.

e. On peut partager ses photos avec ses amis et sa famille.

.../5

4 Lis le titre de presse. Écris un article pour raconter le fait divers.

.../5
À 12 ans, elle a écrit un livre !

.../20

Prêts pour l'étape 5 ?

1 Compréhension de l'oral

Lis les questions. Écoute deux fois le message téléphonique puis réponds aux questions.

a. Où est Juliette ?

b. Quel est le problème de Juliette ?

c. Juliette te demande…

1. de venir chez elle.
2. de lui envoyer un e-mail.
3. de lui apporter ses devoirs.

d. Qu'est-ce que tu vas expliquer à Juliette ?

e. Ce soir, Juliette te propose…

1. d'aller au cours de gym.
2. de discuter avec elle sur Internet.
3. de venir chez toi pour faire les devoirs.

.../10

2 Compréhension des écrits

Lis cet article sur un site Internet français. Réponds aux questions.

   http://www.1jour1actu.com

Vacances et solidarité

En France, des parents ne peuvent pas offrir des vacances à leurs enfants. Comme chaque été depuis 1979, une grande association française, le Secours populaire, organise la « Journée des oubliés des vacances ».

L'association fête ses 70 ans cette année et, à cette occasion, elle veut offrir aux enfants qui ne sont pas partis en vacances une journée encore plus incroyable que les années précédentes : 70 000 enfants sont invités sur le Champ-de-Mars, à Paris, aux pieds de la tour Eiffel. Parmi eux, 1 000 enfants étrangers, venus de 70 pays.

Au programme, chasse au trésor le matin, pique-nique géant à midi et grand concert l'après-midi. Et plein d'autres animations à découvrir tout au long de la journée.

Alors, bonne journée et bonne fin de vacances à tous !

a. Quel événement organise chaque été le Secours populaire ?

b. L'événement est organisé pour…

1. les parents…
2. les enfants…   … qui ne peuvent pas partir en vacances.
3. les familles…

c. Vrai ou faux ? Justifie tes réponses.

1. La journée se passe à Paris.
2. Des enfants de différents pays sont invités à cette journée.

d. Quelle activité on propose l'après-midi ?

.../10

3 ✎ Production écrite

Aujourd'hui, il s'est passé quelque chose d'extraordinaire au collège. Tu écris un e-mail à ton ami(e) français(e) et tu racontes ce qu'il s'est passé. Tu parles de tes émotions.
(60 mots minimum)

.../10

4 💬 Production orale

Exercice 1 ▶ pour s'entraîner à la partie 1 de l'épreuve orale : l'entretien dirigé   ... /2

Tu parles de toi et de tes amis : quel est ton caractère ? Quel est le caractère de tes amis ? Tu fais quelles activités avec tes amis ?

Exercice 2 ▶ pour s'entraîner à la partie 2 de l'épreuve orale : le monologue suivi   ... /4

Au choix :

MON/MA MEILLEUR(E) AMI(E)

Parle de ton/ta meilleur(e) ami(e). Comment il/elle s'appelle ? Quel est son caractère ? Explique ce que vous faites ensemble et pourquoi c'est ton/ta meilleur(e) ami(e).

MON ÉMISSION DE TÉLÉVISION PRÉFÉRÉE

Quelle est ton émission de télévision préférée ? Elle parle de quoi ? Tu la regardes à la télévision ou sur ton ordinateur ? Explique pourquoi tu aimes regarder cette émission.

Exercice 3 ▶ pour s'entraîner à la partie 3 de l'épreuve orale : l'exercice en interaction   ... /4

PAR DEUX. Avec ton ami(e), vous discutez de ce que vous allez faire ce soir à la maison. L'un(e) propose d'aller sur Internet, l'autre préfère regarder un film à la télévision. Chacun(e) explique ce qu'il/elle veut faire. Ensemble, vous vous mettez d'accord sur le programme de votre soirée.

.../10

.../40

Tous des héros !

1 Retrouve sur les photos :
a. un super-héros / une super-héroïne ;
b. un(e) artiste ;
c. un inventeur / une inventrice ;
d. un aventurier / une aventurière.

2 Voudrais-tu être célèbre ? Pour une invention ?
Une découverte ? Un art ? Une action héroïque ?

Apprenons à...
• parler de héros réels ou imaginaires
• raconter la vie de quelqu'un
• raconter des expériences passées

Et ensemble...
créons un quiz sur des personnages célèbres

VIDÉO
SÉQUENCE 5

Parlons des héros réels ou imaginaires

1▶ ◄ ► C ⌂ http://lemag.fr

L'EMAG > DOSSIER DU MOIS

Les ados aussi écrivent l'Histoire

Jeanne d'Arc
À 17 ans, elle a aidé les Français à faire la guerre.

Anne Franck
Elle a écrit son journal intime de 13 à 15 ans, pendant la Seconde Guerre mondiale. Des millions de personnes l'ont lu.

1429

1942

1825

2014

Louis Braille
Il a inventé l'alphabet pour aveugles à 16 ans. 15 000 Français le lisent aujourd'hui.

Malala Yousafzai
Cette Pakistanaise défend l'éducation des filles. Elle a eu le prix Nobel de la paix à 17 ans.

---

1 Lis le site Internet ① et choisis deux bonnes réponses.

a. Ces ados écrivent des histoires.
b. Ces ados sont des héros.
c. Ces ados font partie de l'Histoire.

2 Relis le site Internet ① et associe chaque objet à un ado. Explique tes choix.

3 76 Écoute les dates et regarde encore le site Internet ①. De qui on parle ? (Aide-toi du Vocabulaire.)

4 77 EN PETITS GROUPES. Lisez ces dates à voix haute et associez-les aux événements. Comparez avec les autres groupes puis écoutez pour vérifier.

1762 **1642** **1869**

Arthur Rimbaud a écrit ses premiers poèmes à 15 ans.

Mozart a écrit ses premiers morceaux de musique à l'âge de 6 ans.

Blaise Pascal a inventé la première calculatrice à l'âge de 19 ans.

2 ▸ *DéLire* JEUX

Qui sont ces héros de B.D. ?

Pour jouer : lis les indices et envoie tes réponses à *DéLire* 75695 Paris Cedex 07.

Gagne des B.D. !

1. Super-héros très drôle du XXIᵉ siècle.

2. Caricature d'un grand inventeur italien du XVᵉ siècle.

3. Princesse et magicienne d'un siècle imaginaire.

4. Guerrier et aventurier viking du XIᵉ siècle.

5. Cousins imaginaires des célèbres bandits du même nom de la fin du XIXᵉ siècle.

17

---

5 Lis la page de magazine ② . Quel est le but du jeu ?

6 PAR DEUX. Relisez la page de magazine ② et trouvez les réponses au jeu. Aidez-vous des indices ci-dessous. Puis mettez en commun avec la classe.

DICO p. 118

a. Thorgal est un héros de l'an mil, de la B.D. du même nom.

b. Avec ses gros muscles, Captain Biceps fait rire !

c. Jadina est l'héroïne de la célèbre B.D. *Les Légendaires.*

d. Le cow-boy Lucky Luke arrête souvent les frères Dalton !

e. Léonard a créé des centaines d'inventions géniales !

---

7 Relis la page de magazine ② . Quel(s) personnage(s) vit/vivent à quel siècle ?

- au dix-neuvième siècle
- au onzième siècle
- au vingt et unième siècle
- au quinzième siècle

8 💬 EN PETITS GROUPES. **Trouvez le maximum de héros réels ou imaginaires de différents siècles en cinq minutes. Le groupe qui a le plus de bonnes réponses gagne !**

---

78 VOCABULAIRE

Les héros (m.) DICO p. 118

un aventurier / une aventurière • un bandit • un cow-boy • un inventeur / une inventrice • un guerrier / une guerrière
un (super-)héros / une (super-)héroïne
un magicien / une magicienne
un prince / une princesse
imaginaire • réel(le)

▸ n° 5 p. 72

Les événements historiques

une invention • la guerre • la paix

Les nombres jusqu'à l'infini

100	cent	2 000	deux mille
200	deux cents	10 000	dix mille
500	cinq cents	1 000 000	un million
1 000	mille		

Dire le siècle

premier / deuxième / troisième / quatrième / etc.
au dix-neuvième (XIXᵉ) siècle / au vingtième (XXᵉ)
siècle / au vingt et unième (XXIᵉ) siècle

▸ n° 1 p. 72

VIRELANGUE 79

Les sons [e] comme dans *parler* et [ɛ] comme dans *faire*

Écoute et répète le plus rapidement possible.

Ils ont fait la guerre ou la paix, ces guerriers, ces aventuriers ? Elles sont réelles ou inventées, ces princesses des siècles passés ?

▸ n° 6 p. 73

Racontons la vie de quelqu'un

1 Lis l'article. Qui est Norman ? Choisis deux bonnes réponses.

un personnage historique   un inventeur

un réalisateur de vidéos sur Internet

un acteur humoriste   un héros de B.D.

LE HÉROS DU MOIS

STAR DU NET ET DE LA SCÈNE

LA CIGALE
7 FÉVRIER 2015
EN TOURNÉE
DANS TOUTE LA FRANCE

NORMAN
FAIT DES VIDÉOS

Norman sort de sa chambre et pose sa caméra pour nous faire rire dans une salle de spectacle. Toutes les dates sur normanfait-desvideos.com.

2 🔊 80 Écoute Laura, Nino et le père de Nino. Où sont-ils ?

3 🔊 80 Réécoute. Vrai ou faux ?
a. Quelqu'un est célèbre dans la famille de Nino.
b. Pour Nino, on ne peut pas être connu quand on n'invente rien d'important.
c. Pour Laura, c'est parfois facile d'inventer quelque chose de génial.

4 Lis les phrases et rétablis la vérité sur Norman. (Dis le contraire.)

a   **Quelqu'un** a aidé Norman à écrire son spectacle.

b   Norman a fait **quelque chose** de célèbre avant ses vidéos.

c   Les vidéos de Norman ne montrent **rien** de la vie de tous les jours.

5 Lis l'article. Une biographie, qu'est-ce que c'est ?

Biographie

- Norman est né dans le Nord de la France, le 14 avril 1987. Enfants, lui et sa sœur se sont amusés à faire des vidéos avec la caméra de leur père. Adolescents, ils sont allés vivre à Paris tous les trois.

- En 2008, Norman a commencé à faire des vidéos avec son meilleur ami Hugo et à les poster sur Internet.

- La très belle vidéo *Ma vie en dessin* est sortie le 4 septembre 2014. Dans cette vidéo, il raconte comment il est devenu célèbre.

- En 2015, Norman est parti en tournée avec son spectacle *Norman sur scène*.

🔊 81 **Les pronoms indéfinis** *quelque chose, rien, quelqu'un, personne*

Pour parler d'une personne
Quelqu'un est célèbre dans ta famille ?
≠ **Personne** n'est célèbre dans ma famille.

Pour parler d'une chose
C'est simple d'inventer **quelque chose** de génial.
≠ On n'invente **rien** d'important ou de génial.

⚠️ *Quelqu'un / personne, quelque chose / rien* + *de* + *adjectif* : quelque chose *de génial* / *d'important*.

▶ n° 7 p. 73

6 PAR DEUX. Observez ces extraits de *Ma vie en dessin* de Norman. Retrouvez dans l'article de l'activité 5 les phrases correspondant à chaque dessin et mettez-les dans l'ordre.

82 Le passé composé avec *être*

PRÉCIS GRAMMATICAL p. 124

Au passé composé, on utilise l'auxiliaire *être* pour :

– 14 verbes (et leurs dérivés) : *naître, partir, passer, monter, sortir, arriver, rester, tomber…*
Il **est né** dans le Nord de la France.

– les verbes pronominaux.
Ils **se sont amusés**.

On accorde le **participe passé** avec le sujet (au féminin et au pluriel).
La **vidéo est** sortie le 4 septembre 2014.

Ils sont allés vivre à Paris.

▶ n° 2, 8 et 9 p. 72-73

PHONÉTIQUE 83

La prononciation du participe passé

Écoute les phrases. Tu entends une différence de prononciation ?

▶ n° 10 p. 73

7 Complète les phrases avec les verbes suivants au passé composé. | naître | aller | devenir | se rencontrer |

a En 2008, Norman et ses copains _____ et ont fait des vidéos ensemble.

b Les vidéos de Norman _____ célèbres.

c Une star du Web _____ !

d Norman _____ dans toute la France avec son spectacle.

Mon COURS d' HISTOIRE

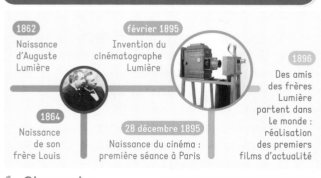

1862 Naissance d'Auguste Lumière

1864 Naissance de son frère Louis

février 1895 Invention du cinématographe Lumière

28 décembre 1895 Naissance du cinéma : première séance à Paris

1896 Des amis des frères Lumière partent dans le monde : réalisation des premiers films d'actualité

1. Observe les documents. Qui sont les frères Lumière ?

a ▶ Les inventeurs du cinéma.
b ▶ Des artistes célèbres.
c ▶ Des humoristes.

2. Quand sont nés les frères Lumière ? Le cinématographe ? Le cinéma ? Les premiers films d'actualité ?

Action !

8 PAR DEUX. Raconte ta vie à ton/ta camarade. Il/Elle imagine que tu deviens célèbre et écrit la suite. Il/Elle fait ta biographie en dessins et la présente à la classe.

84 VOCABULAIRE

La célébrité
DICO p. 118

un acteur / une actrice
un film
un humoriste
un réalisateur / une réalisatrice
un spectacle
une tournée
célèbre / connu(e)

▶ n° 11 p. 73

La biographie
DICO p. 118

la naissance
la vie

devenir
naître
vivre

Racontons des expériences passées

1 **Regarde le site Internet et trouve :**

a. le nom du site ; **b.** le nom de l'émission ; **c.** le nom de l'animatrice.

http://radioado.net

| ACCUEIL | LES ÉMISSIONS | LES ANIMATEURS | PODCASTS |

RADIO ado

Tous les samedis 11 h-12 h

AS-TU DÉJÀ... ?
Présenté par Géraldine.

Géraldine pose une question : « As-tu déjà joué dans un film ou un spectacle ? », « Es-tu déjà passé à la télé ? », etc.

Tu as déjà vécu cette expérience ? Tu peux téléphoner pour raconter !

2 **Lis le site Internet de l'activité 1 et associe les deux questions posées par Géraldine aux réponses suivantes.**

a J'ai déjà participé à un jeu télévisé, mais l'émission n'est pas encore passée à la télé !

b J'ai déjà joué dans un film fait par les élèves du collège, mais je n'ai jamais joué un rôle au cinéma !

85 *Déjà, jamais, pas encore*

As-tu / Tu as **déjà** joué dans un film ?
Es-tu / Tu es **déjà** passé à la télé ?
J'ai **déjà** joué dans un film.
Je **n'ai jamais** joué un rôle au cinéma.
L'émission **n'est pas encore** passée à la télé.

▶ n° 3 et 12 p. 72-73

3 💬 PAR DEUX. **Choisis ci-dessous une autre question de Géraldine et pose-la à ton/ta camarade. Il/Elle répond. Présente sa réponse à la classe.**

As-tu déjà participé à une émission de radio ?

Es-tu déjà allé(e) voir un spectacle de ta star préférée ?

4 Regarde le site Internet et écoute. Quelle est la question posée par Géraldine aujourd'hui ? Qui répond ?

http://radioado.net

| ACCUEIL | LES ÉMISSIONS | LES ANIMATEURS | PODCASTS |

En ce moment sur Radioado

La question de Géraldine

As-tu déjà été le héros ou l'héroïne d'un jour ?

5 Réécoute et choisis les éléments pour reconstituer les deux histoires.

au début des vacances avant les vacances après les vacances pendant les vacances

à la fin des vacances J'ai sauvé un enfant tombé dans l'eau. J'ai sauvé quelqu'un sur une scène de théâtre.

J'ai joué un spectacle à la piscine du camping. J'ai joué un rôle dans une pièce de théâtre.

6 PAR DEUX. **Associez puis mettez les événements dans l'ordre. Écoutez encore pour vérifier.**

a. Ensuite…
b. Après…
c. Finalement…
d. À la fin du spectacle…
e. D'abord…
f. Au début…

1. … je suis passé à la télé.
2. … mes copains ont beaucoup applaudi.
3. … j'ai eu très peur.
4. … je suis allé le chercher.
5. … je n'ai rien fait.
6. … j'ai réussi à jouer mon rôle.

87 Pour situer dans le temps

avant les vacances
pendant les vacances
après l'événement

▸ n° 4 et 13 p. 72-73

88 Pour indiquer la chronologie

Au début, j'ai eu très peur.
Finalement, j'ai réussi à jouer mon rôle.
D'abord, je n'ai rien fait. Mais **ensuite**, je suis allé le chercher.

▸ n° 4 et 13 p. 72-73

7 Et toi, as-tu déjà été le héros / l'héroïne d'un jour ? Quand ? Raconte à la classe.

Pendant un match de foot, j'ai marqué trois buts !
Après le match, j'ai été le héros de l'équipe !

Action!

8 EN PETITS GROUPES. **Inventez une autre question pour l'émission « As-tu déjà… ? ». Tirez au sort une question d'un autre groupe et imaginez une expérience. Racontez cette expérience à la classe.**

89 VOCABULAIRE

Le monde du spectacle
DICO p. 118

applaudir
jouer un rôle
monter sur scène
une pièce de théâtre

Être un héros

passer à la télé
réussir à faire quelque chose
sauver quelqu'un

SOCIÉTÉ

Les vrais super-héros

Ils n'ont pas de masque, mais ce sont des super-héros car leurs exploits sont incroyables !

ALAIN BOMBARD

En 1952, il a traversé seul l'océan Atlantique sur un canot pneumatique. Pendant 65 jours, il s'est nourri seulement avec de l'eau de mer et du jus de poisson.

PHILIPPE CROIZON

Après un accident en 1994, il a perdu ses bras et ses jambes. Mais en 2010, il a traversé la Manche en 13 heures et 26 minutes. En 2012, il a relié les 5 continents à la nage en 100 jours !

AVALON

CITIZEN FRENCH

Des super-héros masqués comme dans les B.D., ça existe ! Les premiers « Super-héros de la vraie vie* » sont nés aux États-Unis. Ils sont arrivés en France en 2010. Ils portent secours aux habitants des villes !

* Aux États-Unis : les « *Real Life Super Heros* », en France : les « Défenseurs de France ».

// 33

EN PETITS GROUPES

1 Pour vous, un super-héros, qu'est-ce que c'est ? Listez les caractéristiques et mettez-les en commun avec la classe.

2 Lis l'article et trouve :
• deux noms de super-héros sans masque ;
• deux noms de super-héros masqués.

3 Relis l'article et trouve de qui on parle.

a. Ils aident les gens dans les villes, comme les super-héros des livres.

b. C'est un champion de natation avec un handicap.

c. Il a vécu en mer avec très peu de choses à manger.

4 Faites des recherches sur un exploit réalisé par un(e) sportif/sportive ou un(e) aventurier/ aventurière et racontez-le à la classe.

Renaud Lavillenie a été le premier à faire un saut de 6,16 mètres.

ENSEMBLE POUR...

créer un quiz sur des personnages célèbres

1 EN PETITS GROUPES Choisissez deux personnages réels ou imaginaires dans ces catégories.

inventeur/inventrice	héros/héroïne de livre	héros/héroïne de film
personnage historique	artiste	bandit	aventurier/aventurière

2 Faites des recherches sur Internet sur vos personnages et sélectionnez les informations biographiques les plus importantes.

Spiderman

Spiderman est un super-héros de B.D. américaine. Il est né en 1962

3 Préparez une fiche avec cinq indices pour chaque personnage.

Héros de livre et de film du XXe siècle

Il est né en 1962 dans un magazine américain.

Il a perdu ses parents à l'âge de 6 ans et a vécu avec son oncle et sa tante.

Il est devenu photographe pour des journaux et aussi super-héros.

4 Jouez au quiz avec la classe. Chaque groupe lit un par un ses indices pour chaque personnage. Les autres groupes devinent de qui il s'agit. Comptez les points comme ci-dessous.

Bonne réponse après 1 indice	5 points
Bonne réponse après 2 indices	4 points
Bonne réponse après 3 indices	3 points
Bonne réponse après 4 indices	2 points
Bonne réponse après 5 indices	1 point

LA CLASSE DONNE SON AVIS SUR...

LES PERSONNAGES CHOISIS
LES INDICES

VIDÉO
SÉQUENCE 5

Entraînement

👥 Entraînons-nous

▶ **Les nombres jusqu'à l'infini / Dire le siècle**

1 ⏱ **EN PETITS GROUPES. Choisis une date dans la liste suivante et dis-la à voix haute. Tes camarades devinent l'étiquette correspondante et donnent le siècle.**

a. (1789)   d. (2015)   g. (1643)
b. (1492)   e. (1515)   h. (800)
c. (1945)   f. (1137)   i. (1224)

> Mille sept cent quatre-vingt-neuf !

> Dix-huitième siècle !

▶ **Le passé composé avec *être***

2 **EN PETITS GROUPES. Chacun votre tour, lancez deux dés et écrivez une phrase avec le participe passé correspondant au chiffre obtenu. Gagnez un point par phrase correcte.**

2 parties   3 née   4 venus
5 descendues   6 monté   7 sorti
8 morts   9 tombée   10 arrivés
11 couchées   12 devenue

▶ *6. Il est monté dans le bus.*

▶ *Déjà, jamais, pas encore*

3 **PAR DEUX. Fais une liste d'actions. Ton/Ta camarade devine ce que tu as déjà fait, ou ce que tu n'as jamais fait. Tu dis si c'est vrai ou faux.**

> Tu n'es jamais allé à New York !

Aller à New York.
Sauver quelqu'un.

> Faux ! Je suis déjà allé à New York !

▶ **Situer dans le temps / Indiquer la chronologie**

4 **PAR DEUX. Racontez une histoire à partir de ces dessins (choisissez l'ordre). Utilisez au moins quatre de ces mots. Comparez votre histoire avec les autres groupes.**

ensuite   finalement   d'abord

après   avant

👤 Entraîne-toi

▶ **Les héros**

5 **Connais-tu ces personnages ? Associe.**

a. un aventurier   d. une princesse
b. des inventeurs   e. un super-héros
c. un magicien   f. un guerrier

1
Superman

4
Harry Potter

2
Lady Diana

5
Vercingétorix

3
Les frères Montgolfier

6
Indiana Jones

▶**PHONÉTIQUE. Les sons [e] et [ɛ]**

6 **Lis les mots à voix haute et classe-les dans le tableau. Puis écoute pour vérifier.**

a. siècle   d. frères   g. passé
b. dixième   e. héros   h. imaginaire
c. premier   f. aventurière   i. guerrier

[e] comme dans *parler*	[ɛ] comme dans *faire*
…	*a,* …

▶**Les pronoms indéfinis** *quelque chose, rien, quelqu'un, personne*

7 **Complète les réponses.**

▶*Il a sauvé quelqu'un ? > Non, il n'a sauvé personne.*
a. Il fait quelque chose de génial ? → Non, …
b. Quelqu'un connaît cet artiste ? → Non, …
c. Tu vois quelque chose ? → Non, …
d. Tu ne comprends rien à cette vidéo ? → Si, …
e. Personne n'est parti ? → Si, …

▶**Le passé composé avec** *être*

8 **Classe les participes passés dans le tableau.**

Il a + participe passé	*Il est* + participe passé
fait, …	…

9 **Transforme au passé composé.**

a. Ce grand inventeur naît au XVIᵉ siècle.
b. Ils partent en France à l'âge de 15 ans.
c. Nous allons voir le spectacle de Norman.
d. Les sœurs deviennent célèbres quand elles arrivent à Paris.

▶**PHONÉTIQUE. La prononciation du participe passé**

10 **Lis à haute voix les verbes au passé composé de l'exercice 9. Attention à la prononciation des participes passés ! Puis écoute pour vérifier.**

▶**La célébrité**

11 **Écoute les devinettes. De qui ou de quoi on parle ?**

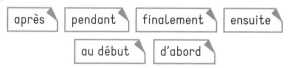

le réalisateur   la tournée   l'humoriste

l'acteur   le spectacle

▶*Déjà, jamais, pas encore*

12 **Remets les phrases dans l'ordre.**

a. cette / Vous / n' / jamais / écouté / émission ? / avez
b. tournée ? / est / encore / parti / en / Il / n' / pas
c. rencontré / quelqu'un / J' / de / déjà / célèbre. / ai
d. Tu / vidéos / fait / déjà / Internet ? / des / sur / as
e. n' / jamais / héros ! / été / Il / un / a

▶**Situer dans le temps / Indiquer la chronologie**

13 **Remplace les ★ par les mots suivants.**

après   pendant   finalement   ensuite

au début   d'abord

Un jour, j'ai été célèbre

Je suis allé voir le spectacle d'un humoriste. ★ du spectacle, il ne s'est rien passé de spécial, mais ★, l'humoriste a demandé à quelqu'un (moi !) de monter sur scène. ★, j'ai refusé et ★, j'ai accepté. Je suis resté ★ vingt minutes sur scène et j'ai joué un rôle à côté de l'humoriste ! Je me suis beaucoup amusé ! ★ le spectacle, j'ai eu ma photo dans le journal !

Alex, 13 ans

Évaluation

1 93 **Écoute. Vrai ou faux ?**

a. Jean-Louis Étienne est un aventurier du XIXe siècle.
b. Il a marché tout seul vers le pôle Nord en 1986.
c. Il a fait 3 600 km en Antarctique.
d. Il est allé au pôle Sud en 2010.
e. Il a traversé l'océan Arctique en ballon en 1990.

... /5

2 PAR DEUX. **Présente à ton/ta camarade une personne que tu connais bien. Donne cinq informations biographiques.**

> Je te présente ma grand-mère. Elle est née en 1945 en France. D'abord, elle a habité dans une grande maison près de la mer. Ensuite, à l'âge de 15 ans, elle est partie…

... /5

3 **Lis le texte et réponds.**

Ce matin, je me suis réveillé un peu triste : je ne suis pas un héros !
Je n'ai jamais sauvé personne, je n'ai jamais rien inventé d'incroyable…
Mais ensuite, j'ai voulu passer une bonne journée, et je me suis dit : je ne suis pas encore un grand héros célèbre, mais je suis un petit héros de tous les jours.
Et j'ai décidé d'écrire mes aventures. Les aventures d'un petit héros de tous les jours. J'ai commencé ce matin : j'ai déjà écrit la première page de mon journal.

a. **Choisis la bonne réponse.**
1. C'est un article de journal sur un héros célèbre.
2. C'est une page du journal intime d'une personne pas célèbre.
3. C'est une page de livre sur les aventures d'un super-héros.

b. **Retrouve dans le texte les phrases correspondant à ces images.**

... /5

4 **Écris une page de journal intime sur ce modèle. Fais une liste de cinq choses que tu n'as jamais faites et une liste de cinq choses que tu as déjà faites.**

Ce matin, je me suis réveillé avec une idée en tête : je ne suis pas un héros !
Je n'ai jamais ______ Mais ensuite, je me suis dit : je ne suis pas un grand héros célèbre mais un petit héros de tous les jours. J'ai déjà ______

... /5

... /20

Prêts pour l'étape 6 ?

Respectons notre planète !

1 Retrouve sur les photos :
a. des animaux ;
b. des végétaux ;
c. des déchets.

2 EN PETITS GROUPES. Dites ce que vous aimez ou ce que vous n'aimez pas dans la nature. Comparez.

Apprenons à...
• parler des problèmes de la planète
• exprimer la nécessité, l'obligation et l'interdiction
• présenter des actions écologiques

Et ensemble...
faisons un tutoriel pour réaliser un projet écologique

VIDÉO
SÉQUENCE 6

Parlons des problèmes de la planète

1 Lis l'article ①. Choisis deux points communs entre ces animaux.

Ils sont en danger.   Ils sont trop nombreux.

Ils disparaissent.   Ils sont en bonne santé.

2 Relis l'article ①. Retrouve, pour chaque animal, pourquoi il est en voie de disparition.

Parce qu'on le chasse.

Parce qu'on détruit les forêts.

Parce que le climat change.

Parce que son lieu de vie est pollué.

Parce qu'on le pêche.

3 🎧 94 DICO p. 118 EN PETITS GROUPES. **Connaissez-vous ces animaux ? Dites s'ils sont en voie de disparition et pourquoi. Puis écoutez le dialogue pour vérifier.**

le manchot   les abeilles

le crocodile du Siam   le chien

la girafe   la baleine

4 **Lis l'affiche ②. Vrai ou faux ? Justifie tes réponses.**
  a. On explique que les déchets polluent la nature.
  b. Les déchets disparaissent rapidement.
  c. On conseille de mettre les déchets dans des poubelles différentes.

3 ◄► C ⌂ `http://jaimemaplanete.fr`

j'aime ma planète

comprendre   agir   jouer

Question 2/10 :

Comment sont les énergies de l'eau, du vent et du soleil ?

○ **a. Elles sont en voie de disparition.**

○ **b. Elles sont renouvelables.**

○ **c. Elles sont nouvelles.**

---

5 💬 EN PETITS GROUPES. **Classez les déchets de l'affiche ② dans les poubelles. Comparez vos réponses avec la classe.**

6 **Lis le site Internet ③. Trouve le nom de trois énergies et associe-les aux symboles suivants.**

ⓐ    ⓑ   ⓒ

7 💬 PAR DEUX. **Répondez à la question de l'écoloquiz du site Internet ③. Comparez votre réponse avec la classe.**

8 💬 EN PETITS GROUPES. **Inventez deux autres questions pour l'écoloquiz avec les informations de cette leçon. Posez vos questions à la classe.**

Quel animal n'est pas en voie de disparition ?
a. La girafe.   b. Le requin.   c. La tortue.

---

95 VOCABULAIRE

Les animaux (m.) (1)

une abeille   DICO p. 118
une baleine
un chien
un crocodile
un éléphant
une girafe
un manchot
un ours
un panda
un requin
un tigre
une tortue

▶ n° 1 et 5 p. 84

La nature (1)

DICO p. 118

l'énergie (renouvelable) (f.)
la forêt
le vent

Les problèmes d'environnement (m.)

le changement climatique
la chasse
la disparition / disparaître
la pêche / pêcher
la pollution / polluer

Les déchets (m.)

DICO p. 118

le métal
le papier
le plastique
la poubelle
le verre

▶ n° 5 p. 84

Décrire la matière

une bouteille **en** plastique
une bouteille **en** verre
un mouchoir **en** papier

VIRELANGUE **96**

Les sons [f] comme dans *faire*, [v] comme dans *vouloir*, [p] comme dans *parler*, [b] comme dans *bleu*
Écoute et répète le plus rapidement possible.

Qui va disparaître en premier ? Les abeilles, les éléphants, les baleines, les forêts ? Les bouteilles en verre, en plastique, le papier ?

▶ n° 6 p. 84

Exprimons l'obligation et l'interdiction

1 **Regarde la brochure et réponds.**
a. Qu'est-ce qu'on peut faire dans ce parc ?
b. Ce type de parc existe dans ton pays ?

PARC AVENTURE & NATURE

Des parcours dans les arbres

Des oiseaux et des écureuils sauvages

Un jardin de fleurs

Notre parc respecte la nature !

2 **Lis cette page Web du Parc aventure et nature. Qui pose les questions ? (Une seule réponse.)**

Les responsables du parc   un journaliste   Les visiteurs du parc

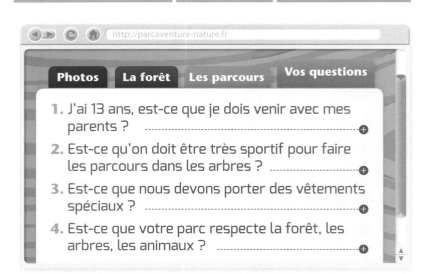

http://parcaventure-nature.fr

Photos | **La forêt** | **Les parcours** | **Vos questions**

1. J'ai 13 ans, est-ce que je dois venir avec mes parents ? ----------⊕

2. Est-ce qu'on doit être très sportif pour faire les parcours dans les arbres ? ----------⊕

3. Est-ce que nous devons porter des vêtements spéciaux ? ----------⊕

4. Est-ce que votre parc respecte la forêt, les arbres, les animaux ? ----------⊕

3 **Relis la page Web de l'activité 2 et associe les réponses suivantes aux questions.**

a> Non, il y a des parcours pour tous les niveaux : on ne doit pas tout faire ! Mais on doit avoir envie de grimper dans les arbres !

b> Les enfants et les adolescents doivent être avec un adulte.

c> Oui, bien sûr ! Mais les visiteurs aussi doivent respecter la nature !

d> Vous devez porter des vêtements confortables. Des vêtements de sport, c'est bien !

4 **Relis les réponses de l'activité 3. Que doivent faire les enfants et les adolescents ? Que doivent faire tous les visiteurs ?**

97 **Le verbe *devoir***

je <u>dois</u>
tu <u>dois</u>
il/elle/on <u>doit</u>
nous dev**ons**
vous dev**ez**
ils/elles doiv**ent**

⚠ *Devoir + infinitif :*
On doit <u>respecter</u> la nature.
*On **ne** doit **pas** <u>faire</u> tous les parcours.*

▶ n° 7 p. 85

5 💬 PAR DEUX. **Regardez le règlement du parc. Qu'est-ce qu'on doit faire ? Qu'est-ce qu'on ne doit pas faire ?**

cueillir les fleurs

utiliser les poubelles

respecter les arbres

donner à manger aux écureuils

porter un casque sur les parcours

PARC AVENTURE & NATURE RÈGLEMENT

1. On doit porter un casque sur les parcours.

6 **Écoute le responsable du parc. Associe chaque phrase à un dessin de l'activité** 5.

▶ **a-2** *S'il vous plaît, les enfants, il ne faut pas cueillir les fleurs !*

🔊 99 **Pour exprimer l'obligation et l'interdiction**

Il faut / Tu dois <u>utiliser</u> les poubelles pour tes déchets !
Il ne faut pas / Tu ne dois pas <u>cueillir</u> les fleurs !

▶ n° 2 et 8 p. 84-85

7 💬 EN PETITS GROUPES. **Regardez les dessins suivants. Formulez les obligations et les interdictions.**

Action !

8 EN PETITS GROUPES. **Présentez à la classe un autre parc nature (réel ou imaginaire). Expliquez le règlement du parc. Les autres posent des questions.**

Dans notre parc Aquanature, il ne faut pas faire peur aux poissons...

Est-ce qu'on doit aller dans l'eau ?

Mon C🧪URS de SVT

Lis la définition et regarde les dessins. Quels sont les êtres vivants ?

La biodiversité, qu'est-ce que c'est ?
Ce sont les êtres vivants sur la Terre,
les Hommes, les animaux et les plantes
de différentes espèces.

une fleur   un oiseau   un arbre   une fille   un écureuil

un papier   une feuille   un caillou   un plastique

🔊 100 **VOCABULAIRE**

Les animaux (m.) (2) DICO p. 118

un écureuil
un oiseau

La nature (2) DICO p. 118

un arbre   cueillir
la biodiversité
un caillou
une feuille
une fleur
une plante

▶ n° 9 p. 85

Présentons des actions écologiques

1 Lis cet extrait de blog. Quel projet écologique il présente ?

http://eco-clubronsard.fr

COLLÈGE RONSARD Club techno · Éco-club · Club photo · Chorale

Notre jardin

1 **La plantation des fleurs et des arbres fruitiers.** Les abeilles adorent et la planète aussi !

2 **L'utilisation du compost de la cantine pour le jardin :** il donne de la bonne terre.

3 **L'installation d'une mangeoire pour les oiseaux** (fabriquée avec des bouteilles en plastique parce qu'en cours de techno, on récupère et on recycle !).

▶ Nous sommes passés à la radio ! Écoutez notre interview !

2 〔101〕 Écoute l'interview des élèves de l'Éco-club. Retrouve sur le blog de l'activité **1** les photos correspondant aux actions…

> d'Alexis et son copain

> de Laurie et sa copine   de Thomas

3 〔101〕 Réécoute et lis les bulles. Ce sont des actions passées, présentes ou futures ?

> On est en train de mettre cette mangeoire sur un arbre.

> Je suis en train de planter des fleurs.

> Je suis en train de mettre du compost dans le jardin.

〔102〕 **Pour exprimer le présent continu**

Être en train de + __infinitif__
Qu'est-ce que vous **êtes en train de** faire ?

▶ n° 3 et 10 p. 84-85

4 〔101〕 Écoute encore l'interview et réponds.

a. Qu'est-ce qu'on ne met pas à la poubelle au collège Ronsard ? Pourquoi ?

b. Qu'est-ce que les élèves mettent dans une poubelle spéciale ? Pourquoi ?

〔103〕 **Le verbe *mettre***

je mets	nous mettons
tu mets	vous mettez
il/elle/on met	ils/elles mettent

▶ n° 11 p. 85

PHONÉTIQUE 〔104〕

La prononciation du verbe *mettre*
Écoute et retrouve les formes que tu entends.
a. mets – mettez – met
b. mets – mettent – mettez
c. mettent – mettez – met

▶ n° 12 p. 85

5 PAR DEUX. **Observez les dessins. Qu'est-ce qu'ils font ? Qu'est-ce qu'ils sont en train de faire ? Reformulez chaque action d'une manière différente.**

> Je <u>mets</u> une affiche sur le mur du collège.
> → Je <u>suis en train de mettre</u> une affiche sur le mur du collège.

a  ◄ Je…

b  ◄ Elles…

c  ◄ Nous…

d  ◄ On…

6 **Lis le tract. Quelle est l'action présentée par l'Éco-club ?**

COLLÈGE RONSARD   Éco-club
Opération papier !

Nous sommes en train d'organiser le recyclage du papier dans les classes.

Si tous les élèves mettent le papier dans une poubelle spéciale, nous pouvons le recycler.

Si on ne coupe pas d'arbres, on sauve les forêts et les animaux.

Si on recycle le papier, on ne coupe pas d'arbres pour le fabriquer.

7 **Relis le tract de l'activité** 6 **. Retrouve les phrases correspondant à chaque dessin. Puis classe les dessins dans le tableau.**

1    3

2    4

Condition	→	Résultat
dessin 2	→	*dessin 4*
dessin 4	→	…
dessin 3	→	…

105 *Si* + présent

Condition (si + présent)	Résultat (présent)
Si on <u>recycle</u> le papier,	on ne <u>coupe</u> pas d'arbres pour le fabriquer.

▶ n° 4 et 13 p. 84-85

Action!

8 EN PETITS GROUPES. **Choisissez une action ci-dessous et réalisez un tract sur le modèle de celui de l'activité** 6 **. Présentez votre tract à la classe.**

Opération compost   Opération plastique

Nous sommes en train de récupérer les bouteilles en plastique du collège. Si nous récupérons…

106 VOCABULAIRE

Le jardin (DICO p. 118)

un arbre fruitier
le compost
une mangeoire
la terre

couper
planter

Les actions écologiques (f.)

mettre à la poubelle
récupérer
recycler / le recyclage

DES ÉNERGIES ORIGINALES

L'énergie, ça coûte cher ! Il faut trouver des idées pour fabriquer de l'énergie gratuite !

Si tu veux recharger ton téléphone portable dans les grandes gares de France, tu dois faire du vélo ! C'est écologique, et tu fais un peu de sport !

Au zoo de Beauval, dans le centre de la France, on utilise les crottes de panda pour fabriquer du biogaz et chauffer la maison des éléphants.

Cet « arbre à vent », sur la place de la Concorde, à Paris, fabrique de l'électricité quand le vent souffle dans ses feuilles ! Un seul arbre peut fabriquer l'électricité nécessaire pour faire vivre une famille de quatre personnes.

On prend cette lampe dans la main et elle fonctionne ! La chaleur de la main fabrique l'énergie nécessaire pour l'allumer. C'est l'invention d'une adolescente canadienne de 15 ans !

91

EN PETITS GROUPES

1 🌍 Connaissez-vous des manières originales de fabriquer de l'énergie ?

2 Lis l'article et trouve les projets qui utilisent :
- l'énergie du vent ;
- l'énergie des hommes ;
- les déchets naturels des animaux.

3 Relis l'article et associe chaque projet à un résultat.

a.   b.   c.   d.

4 Inventez une idée amusante pour produire de l'énergie. Présentez votre idée à la classe.

ENSEMBLE POUR...

faire un tutoriel pour réaliser un projet écologique

1 EN PETITS GROUPES Imaginez un projet écologique à réaliser au collège.

> On peut recycler des boîtes en métal pour fabriquer des pots à crayons !

> On peut aussi créer un jardin vertical au collège !

2 Expliquez pourquoi ce projet est bon pour la planète. Donnez trois raisons.

> Si on crée un jardin vertical, on plante des fleurs et on réutilise des bouteilles en plastique.
> Si on plante des fleurs, c'est bon pour la biodiversité.
> Si on recycle les bouteilles en plastique, il y a moins de déchets au collège.

3 Expliquez ce qu'il faut faire pour réaliser le projet.

> Pour réaliser un jardin vertical, il faut :
> — des plantes, des bouteilles en plastique, de la terre, de l'eau...
>
>
>
> ➜ Vous devez d'abord couper les bouteilles. Ensuite, il faut mettre de la terre... Vous devez mettre de l'eau tous les jours !

4 Filmez votre tutoriel (si possible) et présentez-le à la classe. Quel projet vous avez envie de réaliser dans votre collège ?

LA CLASSE DONNE SON AVIS SUR...

LE PROJET ÉCOLOGIQUE

LA PRÉSENTATION DU TUTORIEL

... ET CHOISIT UN PROJET À RÉALISER AU COLLÈGE.

VIDÉO SÉQUENCE 6

Entraînement

👥 Entraînons-nous

▶ Les animaux (1)

1 EN PETITS GROUPES. **Écrivez trois « devinettes animaux ». Posez-les aux autres groupes. Le groupe qui devine l'animal en premier marque un point.**

> Il est noir et blanc, très gros, il habite dans les forêts et il est en voie de disparition !

> Le panda ?

▶ Exprimer l'obligation et l'interdiction

2 EN PETITS GROUPES. **Jouez au jeu de l'oie. Pour chaque case, dites ce qu'il faut faire ou ce qu'il ne faut pas faire pour respecter la nature.**

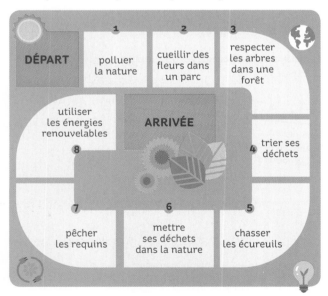

▶ Exprimer le présent continu

3 EN PETITS GROUPES. **Mimez une action écologique. Les autres groupes devinent ce que vous êtes en train de faire.**

> Tu es en train de mettre tes papiers à la poubelle !

▶ Si + présent

4 EN PETITS GROUPES. **Fabriquez cinq étiquettes avec des conditions (avec *si*). Les autres groupes tirent au sort une étiquette et imaginent le résultat.**

> Si les forêts disparaissent...

> ... Les animaux sont en danger !

👤 Entraîne-toi

▶ Les animaux (1) / Les problèmes d'environnement / Les déchets

5 **Associe. (Il y a plusieurs possibilités.)**

a. Les bouteilles en plastique et en verre…
b. La pollution des océans…
c. Les abeilles…
d. Le changement climatique…
e. La destruction des forêts…

> ... est ...
> ... sont ...

1. … un problème pour les ours polaires et les manchots.
2. … en voie de disparition.
3. … dans des poubelles différentes.
4. … un problème pour les tigres et les pandas.
5. … des déchets.
6. … un problème pour les tortues et les baleines.

▶ PHONÉTIQUE. Les sons [f], [v], [p], [b]

6 **Écoute. Quel son dominant tu entends ? Classe les phrases dans le tableau.**

[f]	[v]	[p]	[b]
a., …	…	…	…

▶ Le verbe *devoir*

7 Reconstitue les formes du verbe *devoir*.
Fais une phrase avec chaque forme.

a. odinvet   c. ezved   e. itdo

b. dovnes   d. diso

▶ Exprimer l'obligation et l'interdiction

8 Transforme les phrases de l'activité 7 avec
il faut / il ne faut pas.

▶ Les animaux (2) / La nature (2)

9 Observe les deux dessins et trouve cinq
différences.

▶ Exprimer le présent continu

10 Écoute et transforme les phrases comme
dans l'exemple.
108
▶ *Nous allons à l'Éco-club.*
  > *Nous sommes en train d'aller à l'Éco-club.*

▶ Le verbe *mettre*

11 Lis ces questions et réponds avec le verbe
mettre.
▶ *Où est-ce que tu places les bouteilles récupérées ?*
  (→ *dans un sac*) > *Je* _mets_ *les bouteilles dans un sac.*

a. Qu'est-ce que je fais avec le compost ?
(→ dans le jardin)
b. Nous plaçons ces déchets dans quelle
poubelle ? (→ dans la poubelle bleue)
c. Où est-ce qu'on colle les affiches ?
(→ sur ces murs)
d. Où est-ce qu'elles installent la mangeoire ?
(→ sur un arbre)

▶ PHONÉTIQUE. La prononciation du verbe *mettre*

12 Écoute et choisis la/les personne(s)
correcte(s) pour chaque phrase.
109
je   tu   elle   nous   vous   ils

▶ *Si* + présent

13 Associe les propositions. Puis forme des phrases
comme dans l'exemple.
a-4 ▶ *Si on coupe trop d'arbres, les forêts disparaissent.*

a. On coupe trop d'arbres.
b. On utilise du compost.
c. Tu aimes la nature.
d. Tu tries tes déchets.
e. Vous voulez participer aux actions du club.
f. Vous aimez grimper dans les arbres.

1. Tu dois la respecter.
2. Vous devez vous inscrire.
3. Tu fais une action écologique.
4. Les forêts disparaissent.
5. Vous pouvez aller dans un parc aventure.
6. On donne de la bonne nourriture à la terre.

Évaluation

1 🔊 110 Écoute et associe les informations aux parcs correspondants.

a. Les fans d'animaux doivent aller dans ce parc.
b. Les fans de plantes doivent aller dans ce parc.
c. Il y a 300 espèces différentes.
d. Il y a 275 000 espèces différentes.
e. Il faut respecter la nature et la biodiversité.

.../5

2 💬 PAR DEUX. Qu'est-ce que tu fais dans les situations suivantes ? Explique à ton/ta camarade. Il/Elle dit si tu as une attitude écologique ou non.

Si tu vois des déchets dans une forêt...

S'il y a beaucoup d'abeilles dans ton jardin...

Si tu n'as pas de sac pour faire les courses...

Si tu as beaucoup de papiers dans ta chambre...

Si tu as beaucoup de bouteilles en plastique chez toi...

.../5

3 📖 Lis l'article et réponds.

nature

Pourquoi les tortues sont en danger ?

VOUS VOYEZ UNE DIFFÉRENCE?
LES TORTUES, NON.

La pêche est une des raisons de la disparition des tortues de mer. Si on les prend dans un filet de pêche, elles ne peuvent pas sortir. La pollution des mers par les sacs en plastique est une autre raison. Chaque année, des milliers de tortues meurent parce qu'elles ont mangé ces déchets. Et puis on continue à chasser des espèces comme la tortue de Madagascar pour leur viande et leurs œufs. Cet animal risque de disparaître si on ne le sauve pas !

a. Pourquoi les tortues sont en danger ? Trouve trois raisons.
b. Quelles raisons correspondent aux deux photos ?

.../5

4 ✏️ Réponds à Soso52 et donne-lui cinq conseils.

◀ ▶ ⟳ 🏠

Soso52 : Bonjour tout le monde ! J'ai une question : comment je peux faire des actions écologiques chez moi, dans ma chambre ? Vous pouvez me donner des conseils, des idées ?

.../5

.../20

Prêts pour l'étape 7 ?

1 Compréhension de l'oral

Lis les questions. Écoute deux fois l'annonce à la radio puis réponds aux questions.

a. *Mon frère est un super-héros* est le titre…

   1. d'un film.   2. d'un livre.   3. d'un dessin animé.

b. Qui est Luke Parker ?

c. Qu'est-ce que Luke Parker adore lire ?

d. Luke est jaloux parce que son frère…

   1. a fini ses devoirs.   2. a des superpouvoirs.   3. a acheté des bandes dessinées.

e. Qu'est-ce que Luke décide d'expliquer à son frère ?

…/10

2 Compréhension des écrits

Lis cet article sur un site Internet français. Réponds aux questions.

Moins de déchets pour respecter la planète

Tout le monde peut respecter la planète par des actions simples, par exemple, produire moins de déchets. On peut recycler certains déchets comme le verre ou le papier. Il faut les placer dans les poubelles de tri de couleurs différentes.

Dans les magasins, on met certains aliments, comme les biscuits, dans des petits sachets en plastique et dans des boîtes. Ça fait beaucoup de déchets !

Dans les supermarchés, on vend parfois les fruits et les légumes dans des sacs en plastique. Pourquoi ne pas utiliser des sacs en papier ou pris à la maison ? Les sacs en plastique des magasins sont encore des déchets !

Beaucoup de Français ne mettent pas à la poubelle les restes de légumes et de fruits : ils font du compost. On peut installer un bac à compost dans le jardin de sa maison ou utiliser les bacs à compost des jardins publics.

a. Que faut-il faire pour recycler le verre ?

b. Les poubelles de tri ne sont pas…

   1. très grandes.

   2. de la même couleur.

   3. pour les déchets.

c. Quelle est la matière des sachets de biscuits ?

   1. En verre.

   2. En papier.

   3. En plastique.

d. Vrai ou faux ? Justifie ta réponse.
Dans les supermarchés, on peut acheter des fruits dans des sacs en papier.

e. D'après l'article, que font certains Français avec les restes de légumes ?

…/10

3 ✎ Production écrite

Hier, tu as passé une journée magnifique avec une personne célèbre. Tu écris un e-mail à ton ami(e) français(e) pour lui raconter cette journée. Tu dis quelle personne célèbre tu as rencontrée, ce que vous avez fait ensemble à chaque moment de la journée. Tu parles de tes émotions. (60 mots minimum)

.../10

4 💬 Production orale

Exercice 1 ▸ pour s'entraîner à la partie 1 de l'épreuve orale : l'entretien dirigé   ... /2

Tu parles de toi, de ta famille, de ton collège. Tu racontes ce que tu as fait pendant tes dernières vacances.

Exercice 2 ▸ pour s'entraîner à la partie 2 de l'épreuve orale : le monologue suivi   ... /4

Au choix :

MON PERSONNAGE CÉLÈBRE PRÉFÉRÉ

Tu présentes le personnage célèbre que tu préfères. Tu expliques qui il/elle est, ce qu'il/elle fait et pourquoi c'est ton personnage préféré.

MES ACTIONS ÉCOLOGIQUES

Quelle est l'action écologique la plus importante pour toi ? Pourquoi ? Que fais-tu pour respecter la nature (chez toi, dans la rue, dans ton collège) ? Qu'est-ce qu'il faut faire et ne pas faire selon toi ?

Exercice 3 ▸ pour s'entraîner à la partie 3 de l'épreuve orale : l'exercice en interaction   ... /4

Au choix et par deux :

TRAVAIL POUR LA CLASSE

Pour votre cours de français, vous devez préparer à deux un petit exposé oral sur une personnalité. Vous vous mettez d'accord sur la personnalité à présenter et sur les informations biographiques à donner.

UN PROJET ÉCOLOGIQUE

Avec un(e) camarade, vous devez présenter un animal en voie de disparition. Vous vous mettez d'accord sur l'animal à présenter et les informations à donner.

.../10

.../40

L'argent et nous

1 Retrouve sur les photos :
a. des pièces et des billets ;
b. une tirelire ;
c. un cadeau.

2 Quand tu as de l'argent,
qu'est-ce que tu fais avec ?

Apprenons à...
• parler d'argent de poche
• décrire des objets
• comparer des attitudes

Et ensemble...
faisons un cadeau à la classe

VIDÉO
SÉQUENCE 7

LEÇON **1**

Parlons d'argent de poche

1 ▶

75 % des ados français reçoivent de l'argent de poche.

Les **11-14 ans** reçoivent en moyenne **16 €** par mois.

53 % des ados sont économes.

2 ▶ ◀ ▶ ⟳ ⌂   http://abcbanque.fr

ⓐ ⓑ ⓒ banque ———————————— L'argent de poche en ligne

1, 2, 5 centimes : que fais-tu de tes petites pièces ?

 Tous les ans, des milliers de pièces de 1, 2 et 5 centimes disparaissent. Pourquoi ? Quelle importance donner à cette petite monnaie ?

Des milliers de pièces « perdues »
Les centimes restent souvent dans nos poches quand on nous rend la monnaie. Et on les oublie parce qu'il faut beaucoup de pièces pour pouvoir payer quelque chose. Résultat : tous les ans, la France doit fabriquer de nouvelles pièces.

Trois bonnes raisons de garder tes petites pièces
Si tu veux faire vivre ta petite monnaie, tu peux mettre tes pièces dans ta tirelire et les donner pendant l'opération Pièces jaunes ou les utiliser pour payer à la boulangerie. Tu peux aussi les économiser et les échanger contre des billets à la banque.

C'est quoi, l'opération Pièces jaunes ?

Tu fabriques ta tirelire et tu mets le maximum de pièces de 1 centime à 2 euros. Bravo ! Tu aides des enfants et des adolescents à l'hôpital !

---

1 💬   AVEC LA CLASSE.
     a. Lisez le sondage ① et trouvez un titre.
     b. Faites le même sondage dans la classe.
        Comparez avec le document ①.

Combien d'élèves reçoivent de l'argent de poche ?	....
Combien ils reçoivent en moyenne ?	....
Combien d'élèves sont économes ?	....

2   Lis la page du site Internet ② et réponds.
     a. Quel est le sujet ?
     b. Pourquoi des milliers de pièces disparaissent ?
     c. L'opération Pièces jaunes, qu'est-ce que c'est ?

3   Relis la page du site Internet ②. Trouve trois moyens d'utiliser les petites pièces et associe-les aux dessins.

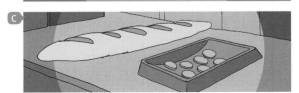

3

À lire

**Le guide junior
pour avoir un max
d'argent de poche**

---

6 **Relis le document ③. Trouve les mots correspondant aux définitions suivantes.**

1 Utiliser son argent pour acheter quelque chose.

2 Recevoir de l'argent.

3 Dépensier/Dépensière.

4 Économe.

7 **Relis les questions du document ③. Associe le dessin b à la question correspondante dans le dessin a. Pourquoi c'est drôle ?**

8 EN PETITS GROUPES. **Répondez aux questions du document ③ (dessin a). Comparez vos réponses avec la classe.**

On peut recevoir de l'argent de poche à partir de 10 ans !

Moi, je suis très dépensière ! Si j'ai un euro dans ma poche, j'achète quelque chose !

---

4 EN PETITS GROUPES. **Qu'est-ce que vous faites de vos petites pièces ? Partagez vos réponses et imaginez d'autres bonnes raisons de les garder.**

Moi, je les donne à mon petit frère parce qu'il n'a pas d'argent de poche !

5 **Lis le document ③. Qu'est-ce qu'il présente ? Choisis.**
a. Un guide sur l'argent de poche fait par une banque.
b. Une B.D. humoristique sur l'argent de poche.
c. Un nouveau magazine sur l'argent.

---

112 VOCABULAIRE

L'argent (m.) (1) DICO p. 119

dépenser
échanger
économiser
gagner (de l'argent)
garder
payer
recevoir

une banque
des billets (m.)
des économies (f.)
la monnaie (rendre)
des pièces (f.)
une tirelire

dépensier/dépensière (cigale)
économe (fourmi)

▶ n° 1 et 5 p. 98

VIRELANGUE **113**

Le son [j] comme dans *fille*
Écoute et répète le plus rapidement possible.
Les filles ont payé leur voyage à Marseille avec des milliers de pièces et pas un seul billet !

▶ n° 6 p. 98

LEÇON

2 Décrivons des objets

1 **Lis l'article. Il donne quelles idées ?**

Cadeaux **GRANDES IDÉES POUR PETITS PORTE-MONNAIE !**

Les cadeaux gratuits
- Avec une imprimante, c'est facile de fabriquer un bel album photo ou une jolie carte.
- Il y a trop de trucs dans ta chambre ? Offre tes vieux jouets ou tes vieilles B.D. !

Les cadeaux groupés
La bonne idée pour faire un gros cadeau : l'acheter avec des amis !

Les cadeaux connectés
- Une nouvelle application pour téléphone ou tablette, c'est un cadeau sympa et pas cher, non ?
- Tu peux aussi offrir tes musiques ou tes vidéos préférées en cadeau !

2 **Relis l'article de l'activité ❶ et retrouve :**
a. à quelle catégorie de cadeaux appartiennent les objets suivants ;
b. la description exacte de ces objets.

Photo 1 ▶ C'est la catégorie « cadeau gratuits » : un bel album photo.

> **114** La place des adjectifs
>
> En général, les adjectifs qualificatifs se placent après le nom.
> les cadeaux **gratuits**   un cadeau **sympa**
>
> Mais quelques adjectifs courants se placent souvent avant le nom.
> de **grandes** idées   la **bonne** idée
> un **petit** porte-monnaie   un **bel** album
> un **vieux** jouet   une **nouvelle** application
> un **gros** cadeau
>
> ⚠️ *Beau = **bel** devant une voyelle.*
>
> ▶ n° 7 et 8 p. 99

3 💬 **EN PETITS GROUPES. Trouvez deux autres idées de cadeaux pas chers ou gratuits. Faites leur description avec des adjectifs et proposez-les à la classe.**

> On peut faire des <u>petits</u> gâteaux et fabriquer une <u>jolie</u> boîte pour les mettre dedans, ça fait un <u>beau</u> cadeau !

4 **Lis le SMS. Que propose Samuel ?**

Samuel → Copains

Salut,
On achète un cadeau ensemble pour l'anniversaire de Mathieu ?
Voilà deux idées :

ou

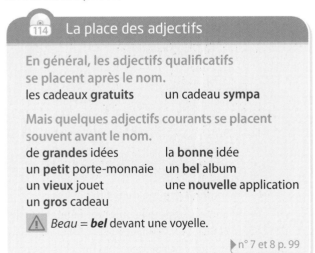

5 🔊115 **Écoute Samuel et Anna.**
Choisis la bonne réponse.

a. Anna appelle Samuel :
1. pour donner une autre idée de cadeau.
2. pour avoir des explications sur les idées de cadeaux.
3. parce qu'elle n'aime pas ses idées de cadeaux.

b. Les cadeaux proposés par Samuel sont :
1. un robot-sphère et un réveil connecté.
2. un robot-jouet et une application réveil.
3. un robot-réveil et une sphère connectée à une application.

 6 🔊115 **Réécoute et retrouve la forme et la fonction de chaque objet.**

C'est… | rond | en forme de balle |
| avec un côté plat |

Ça sert à… | réveiller quelqu'un | jouer |

Mon C**OURS** de GÉOMÉTRIE

1. Associe les définitions aux dessins.

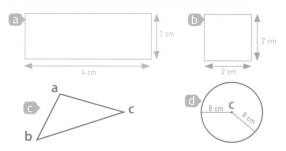

1 cm / 4 cm
2 cm / 2 cm
8 cm / 8 cm

1. Un carré a quatre côtés de la même longueur.
2. Un rectangle a deux côtés de la même longueur.
3. Un cercle est une ligne. Tous les points de cette ligne sont à égale distance du centre.
4. Un triangle a trois côtés.

2. À quelle forme géométrique correspondent les adjectifs suivants ?

| rond(e) | rectangulaire |
| carré(e) | triangulaire |

🔊116 **Pour décrire un objet**

La forme
Il est **rond**, **en forme de** balle.
Il a **un côté plat**.

La fonction
Il/Ça ne **sert à** rien.
Elles **servent à** rouler.

▶ n° 2 et 9 p. 98-99

7 💬 PAR DEUX. **Fais deviner un objet à ton/ta camarade. Tu décris sa forme et sa fonction. Il/Elle devine l'objet.**

C'est un truc plat et c'est rectangulaire. Ça sert à appeler, chercher des informations, etc.

Un téléphone portable !

Action!

8 EN PETITS GROUPES. **Imaginez un objet technologique original. Dessinez-le et présentez-le à la classe. La classe vote pour le plus original.**

Voici le robot-téléphone. C'est un petit objet amusant. Il sert à…

🔊117 **VOCABULAIRE**

Les objets (m.)
[DICO p. 119]
un cadeau
un jouet
un réveil
un truc (fam.)

La technologie
[DICO p. 119]
une application
une imprimante
un robot
connecté(e)

Les formes géométriques
carré(e) / un carré
rectangulaire / un rectangle
rond(e) / un rond
triangulaire / un triangle

La description
bon/bonne
gros/grosse
joli(e)
plat(e)
vieux/vieille

3 Comparons des attitudes

1 Lis cette page du site abcbanque et choisis le meilleur titre pour le test.

a. Es-tu prêt(e) à gagner de l'argent ?

b. Dépenses-tu trop d'argent ?

c. Sais-tu faire des économies ?

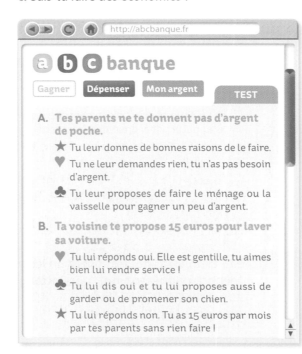

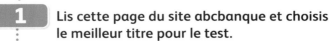
http://abcbanque.fr

ⓐ ⓑ ⓒ banque

Gagner | **Dépenser** | **Mon argent** | **TEST**

A. **Tes parents ne te donnent pas d'argent de poche.**

★ Tu leur donnes de bonnes raisons de le faire.

♥ Tu ne leur demandes rien, tu n'as pas besoin d'argent.

♣ Tu leur proposes de faire le ménage ou la vaisselle pour gagner un peu d'argent.

B. **Ta voisine te propose 15 euros pour laver sa voiture.**

♥ Tu lui réponds oui. Elle est gentille, tu aimes bien lui rendre service !

♣ Tu lui dis oui et tu lui proposes aussi de garder ou de promener son chien.

★ Tu lui réponds non. Tu as 15 euros par mois par tes parents sans rien faire !

2 Relis le test de l'activité **1** et associe les photos suivantes aux services cités. Est-ce que tu as déjà rendu un de ces services contre de l'argent ?

3 💬 PAR DEUX. Faites le test de l'activité **1** et lisez les résultats. Puis comparez vos réponses et vos résultats.

résultats

★ Tu n'es pas prêt(e) à travailler pour gagner de l'argent ! Peut-être plus tard !

♣ Tu as envie d'être indépendant(e) : toutes les idées sont bonnes pour gagner de l'argent !

♥ Tu es content(e) de ta situation : si tu as un peu d'argent, c'est bien, mais ce n'est pas très important !

4 Relis le test de l'activité **1** et associe.

a. Tu leur proposes de faire le ménage ou la vaisselle.

b. Tu lui proposes de garder ou de promener son chien.

1. À ta voisine. 2. À tes parents.

118 Les pronoms COI *lui, leur*

Tu réponds non **à ta voisine** (COI singulier).

→ Tu **lui** réponds non.

Tu ne demandes rien **à tes parents** (COI pluriel).

→ Tu ne **leur** demandes rien.

⚠️ COI = Complément d'Objet Indirect ; il répond à la question : *À qui ?*

▶ n° 3 et 10 p. 98-99

5 💬 EN PETITS GROUPES. Que fais-tu dans ces situations ? Utilise les verbes suivants et les pronoms *lui/leur* pour répondre.

répondre oui/non à quelqu'un | dire à quelqu'un

demander à quelqu'un | proposer à quelqu'un

ⓐ Tu voudrais rendre des petits services à tes parents pour gagner de l'argent.

ⓑ Tes voisins cherchent quelqu'un pour garder leur enfant tous les samedis matin.

ⓒ Ta mère veut te donner 5 euros si tu as de bons résultats à l'école.

> a. Je leur propose de faire le ménage une fois par semaine.

6 Observe le tableau. Qu'est-ce que c'est ?

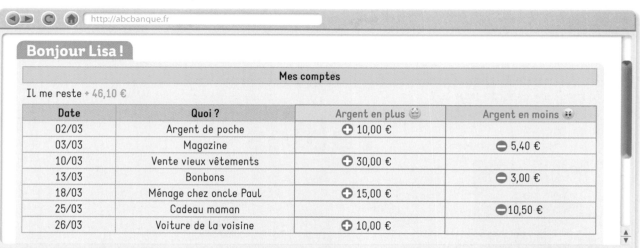

http://abcbanque.fr

Bonjour Lisa !

Mes comptes			
Il me reste + 46,10 €			

Date	Quoi ?	Argent en plus 😊	Argent en moins 😔
02/03	Argent de poche	➕ 10,00 €	
03/03	Magazine		➖ 5,40 €
10/03	Vente vieux vêtements	➕ 30,00 €	
13/03	Bonbons		➖ 3,00 €
18/03	Ménage chez oncle Paul	➕ 15,00 €	
25/03	Cadeau maman		➖ 10,50 €
26/03	Voiture de la voisine	➕ 10,00 €	

7 119 **Écoute le dialogue deux fois. Vrai ou faux ? Justifie tes réponses.**

a. Lisa parle de ses comptes avec sa mère.
b. Lisa est plus riche que le mois dernier.
c. Elle a dépensé plus d'argent.
d. Elle a gagné moins d'argent.
e. Elle a rendu moins souvent service.
f. Pour le père de Lisa, les devoirs sont plus importants que l'argent.

 120 Pour comparer avec *plus* et *moins*

- **Avec un <u>adjectif</u> ou un <u>adverbe</u>**
  Tu es **plus <u>riche</u>** (que le mois dernier).
  Tes devoirs ne sont pas **moins <u>importants</u>** (que ton argent).
  J'ai rendu **plus <u>souvent</u>** service.

- **Avec un <u>nom</u>**
  J'ai acheté **plus de <u>choses</u>** (que le mois dernier).
  Tu as dépensé **moins d'<u>argent</u>** (que le mois dernier).

▶ n° 4 et 12 p. 98-99

PHONÉTIQUE 121

La prononciation de *plus*

Écoute les phrases. Quand est-ce qu'on prononce le *s* de *plus* ?
a. J'ai acheté plus de choses.
b. Je suis plus riche.
c. Ton argent n'est pas plus important que tes devoirs.

▶ n° 13 p. 99

8 💬 **AVEC LA CLASSE. Observe encore le tableau de l'activité 6 et compare :**

a. le prix des bonbons et le prix du magazine ;
b. l'argent gagné pour le ménage et l'argent gagné pour la voiture ;
c. l'argent dépensé pour le cadeau et l'argent dépensé pour le magazine ;
d. l'argent gagné pour la vente des vieux vêtements et l'argent gagné pour les services.

> a. Les bonbons ont coûté <u>moins cher</u> que le magazine...

Action!

9 **PAR DEUX. Complétez chacun une grille du site abcbanque avec votre argent gagné et vos dépenses (réels ou inventés) pour un mois. Puis comparez vos grilles devant la classe.**

> Moi, je dépense plus d'argent que Tom, mais il achète moins de choses que moi.

122 VOCABULAIRE

Rendre service (DICO p. 119)		**L'argent (2)**
faire la vaisselle	laver la voiture	faire ses comptes
faire le ménage	promener/	vendre
garder des enfants	garder le chien	

▶ n° 11 p. 99

Petites histoires d'argent

Les fables de ce célèbre poète sont des petites histoires amusantes. Elles donnent une leçon de vie. Quelles leçons de vie sur l'argent ?

Fables

Jean de la Fontaine

La Cigale et la Fourmi

Pendant l'été, la cigale chante et s'amuse et la fourmi fait des réserves de nourriture pour l'hiver. Quand l'hiver arrive, la cigale demande de l'aide à la fourmi, mais la fourmi refuse…

La Poule aux œufs d'or

La poule d'un homme lui donne chaque jour un œuf d'or. Mais l'homme veut devenir encore plus riche. Il ouvre le ventre de la poule pour voir s'il trouve un trésor mais il n'y a rien…

Le Trésor et les Deux Hommes

Un homme sans argent trouve un trésor caché dans une vieille maison et le prend. Il part content. Quand le riche et avare propriétaire voit son argent perdu, il veut mourir…

17

EN PETITS GROUPES

1 🌐 Connaissez-vous des histoires d'argent ou de trésors dans la littérature ? **Faites** une liste avec la classe.

L'Île au trésor !

2 Lis l'article et trouve :
- la définition du mot « fable » et le nom d'un auteur célèbre ;
- un personnage de fable économe et pas généreux ;
- un personnage de fable avare (qui n'aime pas utiliser son argent) ;
- un personnage de fable impatient d'être riche.

3 Relis l'article. Associe chaque leçon de vie à une fable.

a. Quand on est trop avare, l'argent finit souvent dans la poche d'un autre.

b. Il ne faut pas vouloir plus que ce qu'on a.

c. Il faut économiser pour le futur.

4 Imaginez deux autres leçons de vie sur l'argent.

> Les petites économies peuvent donner de grands trésors !

ENSEMBLE POUR...
faire un cadeau à la classe

1 EN PETITS GROUPES Choisissez un objet utile à acheter pour votre classe.

> On achète des dictionnaires électroniques pour la classe de français ?

2 Imaginez des actions pour gagner de l'argent. Expliquez comment vous voulez réaliser ces actions.

> On organise une opération Pièces jaunes ? On explique notre projet aux élèves du collège et on leur propose de mettre toutes leurs pièces dans une grande tirelire à l'entrée du collège !

3 Faites les comptes : l'argent que vous allez dépenser, l'argent que vous allez gagner.

Prix du cadeau : 59 euros x 15 = 885 euros

	On doit gagner	On doit dépenser
Opération Pièces jaunes	160 €	
...		

4 Décrivez votre cadeau aux autres groupes et présentez vos actions et vos comptes. La classe compare les projets.

> Voici notre cadeau : des nouveaux dictionnaires électroniques pour notre classe de français ! Ils sont blancs, rectangulaires et ils servent à chercher ou comprendre des mots en français. Pour acheter ce cadeau, nous devons gagner...

LA CLASSE DONNE SON AVIS SUR...

LE CADEAU   + / ++ / ++

LES COMPTES   + / ++ / ++

... ET VOTE POUR LA MEILLEURE IDÉE.

VIDÉO SÉQUENCE 7

Entraînement

👥 Entraînons-nous

▸ L'argent

1 EN PETITS GROUPES. **Choisissez un mot de vocabulaire de la leçon 1 (p. 91). Un élève du groupe le dessine au tableau. Les autres groupes devinent le mot.**

Une tirelire !

▸ Décrire un objet

2 EN PETITS GROUPES. **Trouvez des objets correspondant aux descriptions suivantes. Le groupe qui a trouvé le plus d'objets gagne !**

C'est un objet plat.　　C'est un objet rond.

C'est un objet en forme de sphère.

C'est un objet rectangulaire.

Cet objet sert à mettre des pièces.

C'est un objet long.

▸ Les pronoms COI *lui, leur*

3 PAR DEUX. **Préparez trois questions avec les verbes suivants. Posez-les à vos camarades. Ils répondent avec *lui/leur*.**

demander à quelqu'un　　donner à quelqu'un

téléphoner à quelqu'un　　dire à quelqu'un

proposer à quelqu'un

Tu <u>donnes</u> un cadeau <u>à ton meilleur ami</u> pour son anniversaire ?

Oui, je <u>lui</u> donne un cadeau.

▸ Comparer avec *plus* et *moins*

4 EN PETITS GROUPES. **Lisez le texte et trouvez à qui sont ces économies.**

Mathias a plus de billets que Lou, que Léa et que Margot, mais il est moins riche que Lou. Léa a moins de pièces de 2 euros que Margot. Léa est plus économe que Margot, mais moins que Mathias et que Lou.

a. Lou.

👤 Entraîne-toi

▸ L'argent

5 **Écoute et trouve le mot manquant.**
▸ *J'ai de l'argent dans ma tirelire, ce sont mes <u>économies</u>.*

▸ PHONÉTIQUE. Le son [j]

6 **Cherche les mots qui contiennent le son [j] comme dans *fille*. Puis écoute pour vérifier.**

a payer　　b dépensier　　c habiller　　d billet

e mille　　f feuille　　g ville　　h soleil

i abeille　　j réveiller　　k objet

▶ La place des adjectifs

7 **Mets les adjectifs à la bonne place dans les phrases.**

▶ *J'ai acheté un <u>cadeau</u>. (original)*
  > *J'ai acheté un cadeau original.*

a. À qui est ce <u>jouet</u> ? (petit)

b. Mon <u>frère</u> reçoit de l'argent de poche. (grand)

c. C'est quoi, cet <u>objet</u> ? (triangulaire)

d. Elles sont rigolotes, ces <u>lunettes</u> ! (grosses)

e. Ce sont tes <u>vêtements</u> ? (vieux)

f. J'achète un <u>cadeau</u> pour mon frère. (beau)

g. Nous faisons des cadeaux à nos <u>amis</u> ! (bons)

8 **Dis ce que tu as, chez toi, de :**

grand   petit   gros   beau

nouveau   important

> J'ai une grande chambre et un nouveau lit !

▶ Décrire un objet

9 **Réponds aux questions : décris la forme et la fonction des objets.**

▶ *C'est quoi, une imprimante ?*
  > *C'est un objet carré ou rectangulaire, ça/elle sert à imprimer quelque chose sur du papier.*

a. C'est quoi, un robot ?

b. C'est quoi, un réveil ?

c. C'est quoi, une tirelire ?

d. C'est quoi, un billet ?

▶ Les pronoms COI *lui, leur*

10 **Transforme les phrases avec *lui* ou *leur*.**

▶ *Éloïse demande un peu d'argent à ses parents.*
  > *Éloïse <u>leur</u> demande un peu d'argent.*

a. Je rends service à mes grands-parents.

b. Tu donnes un cadeau à ton cousin.

c. On propose à notre mère de faire le ménage.

d. Tu as dit merci à ton père ?

e. Loïs explique son problème à ses copains.

▶ Rendre service

11 **Quels services tu rends avec les objets suivants ?**

▶ Comparer avec *plus* et *moins*

12 **Lis les informations et compare avec *plus* ou *moins* et les mots proposés.**

▶ *Romain a 12 euros. Léandre a 10 euros. (argent)*
  > *Romain a plus d'argent que Léandre. / Léandre a moins d'argent que Romain.*

a. Sofiane a fait deux fois la vaisselle cette semaine. Lina a fait une fois la vaisselle. (souvent)

b. Le téléphone portable de Gabriel a un an. Le téléphone portable d'Élie a deux ans. (vieux)

c. Le cadeau de Lucie coûte vingt euros. Le cadeau de Léo coûte vingt-cinq euros. (cher)

d. Léonore a proposé deux services. Noémie a proposé trois services. (services)

e. Imane dépense trente-cinq euros par mois. Arthur dépense vingt-trois euros par mois. (dépenses)

▶ PHONÉTIQUE. La prononciation de *plus*

13 **Lis les phrases à voix haute et prononce le *s* de *plus* si nécessaire. Puis écoute pour vérifier.**
🔊 125

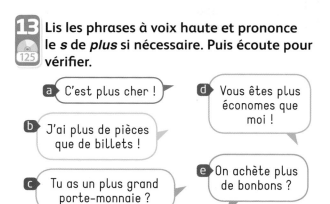

a C'est plus cher !

b J'ai plus de pièces que de billets !

c Tu as un plus grand porte-monnaie ?

d Vous êtes plus économes que moi !

e On achète plus de bonbons ?

Évaluation

1 🔒126 **Écoute Chloé et Hugo. Vrai ou faux ? Justifie tes réponses.**

a. Chloé rêve d'acheter un objet connecté.

b. Cet objet est de forme ronde.

c. Sa seule fonction est de lire l'heure.

d. Pour Hugo, cet objet ne sert à rien.

e. Avec cet objet, on peut laisser un message à un copain.

.../5

2 💬 **PAR DEUX. Choisis cinq objets que tu aimes dans ta chambre et décris-les à ton/ta camarade. Dis à quoi ils servent.**

> Moi, j'aime bien ma lampe de bureau. Elle est noire, en forme de triangle, et elle sert à bien voir quand je fais mes devoirs.

.../5

3 📖 **Lis le forum et retrouve de qui on parle. Justifie tes réponses.**

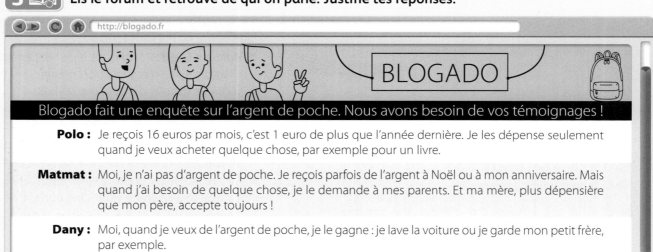

http://blogado.fr

BLOGADO

Blogado fait une enquête sur l'argent de poche. Nous avons besoin de vos témoignages !

Polo : Je reçois 16 euros par mois, c'est 1 euro de plus que l'année dernière. Je les dépense seulement quand je veux acheter quelque chose, par exemple pour un livre.

Matmat : Moi, je n'ai pas d'argent de poche. Je reçois parfois de l'argent à Noël ou à mon anniversaire. Mais quand j'ai besoin de quelque chose, je le demande à mes parents. Et ma mère, plus dépensière que mon père, accepte toujours !

Dany : Moi, quand je veux de l'argent de poche, je le gagne : je lave la voiture ou je garde mon petit frère, par exemple.

Hicham : J'ai 20 euros chaque mois par mes parents. Avec cet argent, je m'achète du pop-corn au cinéma, un tee-shirt… Sinon, j'économise pour des BD ou des jeux vidéo.

a. Il/Elle reçoit de l'argent de poche tous les mois.

b. Il/Elle économise pour acheter des livres.

c. Il/Elle gagne de l'argent quand il/elle rend un service.

d. Il/Elle peut demander de l'argent à sa mère sans problème.

e. Il/Elle reçoit de l'argent pour des occasions spéciales.

.../5

4 ✏️ **Écris un message sur le forum blogado et parle de ton argent de poche et de tes dépenses.**

.../5

.../20

Prêts pour l'étape 8 ?

100 cent

ÉTAPES ... 1 ... 2 ... 3 ... 4 ... 5 ... 6 ... 7 ... **8**

Regardons l'avenir

1 Regarde les photos et trouve :
a. des matières scolaires ;
b. des scientifiques ;
c. un(e) artiste.

2 Quelle est ta matière préférée ?

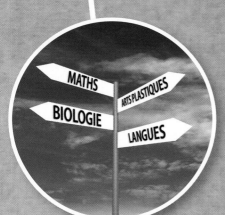

MATHS
ARTS PLASTIQUES
BIOLOGIE
LANGUES

Apprenons à...
• parler de notre orientation
• parler de nos passions et de nos qualités
• imaginer l'avenir

Et ensemble...
imaginons une profession du futur

VIDÉO
SÉQUENCE 8

Parlons de notre orientation

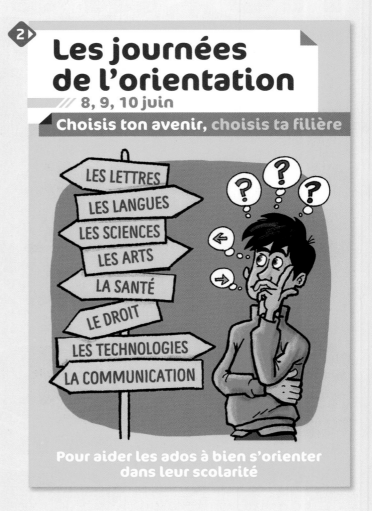

1
DICO p. 119

Lis la page de magazine ① et réponds.
a. Qu'est-ce qu'elle présente ?
b. Quelles professions tu vois ? (Aide-toi du Vocabulaire.)

2
AVEC LA CLASSE. **Choisis ta profession préférée dans la page de magazine ①. Faites le top 5 de la classe.**

3
AVEC LA CLASSE. **Lisez le Vocabulaire des professions et discutez : vous connaissez des personnes qui exercent ces professions ?**

> Oui, mon oncle est pilote.

4
Lis l'affiche ②. Vrai ou faux ? Justifie tes réponses.
a. Les journées de l'orientation s'adressent aux adultes.
b. Ce sont des journées pour préparer sa vie future.
c. Les lettres, les langues, les sciences et les arts sont des professions.

5
Relis l'affiche ②. Quelle(s) filière(s) il faut choisir pour exercer :
a. les professions du document ① ?
b. les professions de journaliste, de dessinateur, d'acteur ?

▶ *Pour être pilote, il faut choisir les sciences.*

3

COLLÈGE LAMARTINE   Accueil   Le collège   Contact   Rechercher

Ateliers artistiques

Tu veux participer à un atelier artistique ?
Choisis dans la liste :

a ARTS NUMÉRIQUES   b ARTS VISUELS   c STREET ART   d ARTS PLASTIQUES   e ARTS DU CIRQUE

---

6 💬 **EN PETITS GROUPES. Dis à tes camarades quelle filière tu préfères et explique pourquoi. Comparez avec les autres groupes.**

> Moi, je préfère les langues parce que j'adore les cours de français !

7 **Lis le site Internet ③. De quoi il parle ? Choisis la réponse correcte.**
a. D'un spectacle dans un collège.
b. Des cours d'art dans un collège.
c. D'une création artistique dans un collège.

8 **Relis le site Internet ③. Est-ce que ces ateliers existent dans ton collège ?**

9 💬 **PAR DEUX. Imagine : tu dois choisir un atelier artistique. Dis à ton/ta camarade quel atelier tu choisis et explique pourquoi.**

> Je choisis les arts visuels parce que j'adore prendre des photos.

🔊 127 **VOCABULAIRE**

Dire la profession
être + *profession*
Je rêve d'être médecin.

Les professions (f.) (1)
[DICO p. 119]

un(e) avocat(e)
un(e) écrivain(e)
un(e) ingénieur(e)
un médecin
un(e) pilote
un(e) professeur(e)
un(e) scientifique
un(e) vétérinaire
▶ n° 1 p. 110

Les filières (f.)
les arts (m.)
la communication
le droit
les langues (f.)
les lettres (f.)
la santé
les sciences (f.)
les technologies (f.)

L'orientation (f.)
l'avenir (m.)
la scolarité
s'orienter
▶ n° 2 p. 110

Les arts
les arts du cirque
les arts numériques
les arts plastiques
les arts visuels
le street art
▶ n° 6 p. 111

VIRELANGUE 128

Les sons [d] comme dans *deux* et [t] comme dans *trois*
Écoute et répète le plus rapidement possible.

Didier adore le droit, Tatiana le street art et Dorothée rêve d'être pilote ou avocate !
▶ n° 7 p. 111

LEÇON 2

Parlons de nos passions et de nos qualités

1 **129** **Écoute Alice et Jules. De quoi ils parlent ? Choisis la réponse correcte.**
a. De leurs passions et de leurs savoir-faire.
b. De leur scolarité et de leur matière préférée.

2 **129** **Réécoute. Quelles sont leurs passions ?**

> ..., c'est ma passion. Et je suis aussi folle de...

> Je suis fou de... Et je suis passionné de...

> **130** **Pour parler de ses passions**
>
> La chanson, **c'est ma passion.**
> **Je suis passionné(e) de** bandes dessinées.
> **Je suis fou/folle de** cinéma.
>
> ▶ n° 3 p. 110

3 **129** **Écoute encore. Vrai ou faux ? Justifie tes réponses.**
a. Alice sait chanter.
b. Jules sait dessiner.
c. Le frère de Jules sait écrire.
d. Jules et son frère veulent travailler ensemble.
e. Les frères d'Alice ne savent rien faire.

> **131** **Le verbe** *savoir*
>
> | | |
> |---|---|
> | je <u>sais</u> | nous sav**ons** |
> | tu <u>sais</u> | vous sav**ez** |
> | il/elle/on <u>sait</u> | ils/elles sav**ent** |
>
> ⚠ Pour parler de ses savoir-faire :
> *savoir* + infinitif. → *Je sais dessiner.*
>
> ▶ n° 4 p. 110

4 💬 EN PETITS GROUPES. **Faites la liste de vos passions et de vos savoir-faire (arts, sports…). Comparez avec la classe.**

> Je suis fou de musique ! Je sais jouer du piano et de la guitare.

5 **Lis l'article. De quoi parlent les ados ?**
a. De leurs professions préférées.
b. De leurs passions et de leurs qualités.
c. De leurs études.

Le Quotidien des ados

POUR QUELLE PROFESSION ES-TU FAIT(E) ?

> Je suis passionné de géométrie ! Et j'adore l'art ! Je sais très bien dessiner. Je suis créatif et organisé.

Ludo, 13 ans

> Je suis folle de sport : de natation, de judo, de skate ! Je suis courageuse et j'ai le goût de l'aventure. Je suis très motivée par l'action !

Albane, 14 ans

> Le cinéma, c'est ma passion ! Je regarde un film par jour ! J'ai de l'imagination et je suis à l'aise en public.

Louise, 12 ans

> J'adore les sciences et je déteste quand une personne a mal. Je suis à l'écoute des autres et très patient.

Jordan, 14 ans

6 **Relis l'article de l'activité 5 . Quelles qualités tu peux associer aux phrases suivantes ?**

> **a** Je n'ai pas peur et j'aime l'aventure.

> **b** Je sais écouter les gens et je suis patient.

> **c** Je sais créer des choses et organiser mon travail.

> **d** Je sais imaginer des histoires et je ne suis pas timide.

Pour décrire des qualités

Je suis
- à l'aise en public.
- à l'écoute des autres.
- créatif/créative.
- courageux/courageuse.
- motivé(e).
- organisé(e).
- patient(e).

J'ai
- de l'imagination.
- le goût de l'aventure.

▶ n° 8 p. 111

Mon **OPTION**

« DÉCOUVERTE PROFESSIONNELLE »

L'avis des collégiens :

J'ai découvert beaucoup de nouvelles professions. **Marie**

J'ai rencontré des personnes super dans les entreprises ! **Bastien**

Je suis plus à l'aise à l'oral parce que nous avons fait des exposés sur des professions. **Zoé**

Trois heures par semaine pour découvrir le monde du travail, ce n'est pas assez ! **Antonin**

Je suis plus motivée pour travailler à l'école parce que je sais quelle profession je veux faire. **Sohir**

Lis les avis des collégiens et réponds.

a. L'option « découverte professionnelle », qu'est-ce que c'est ?

b. Est-ce que les collégiens sont tous positifs ?

c. Qui est plus à l'aise pour parler ? Pourquoi ?

d. Qui va travailler plus ? Pourquoi ?

7
DICO p. 119

Relis l'article de l'activité . À ton avis, le magazine va conseiller quelles professions à chaque ado ?

| infirmier/infirmière pharmacien/pharmacienne | architecte graphiste |

| acteur/actrice réalisateur/réalisatrice | policier pompier |

132 Le masculin et le féminin des professions

Masculin	Féminin
un infirmier	une infirmière
un pharmacien	une pharmacienne
un acteur	une actrice
un architecte	une architecte

⚠️ *un chanteur / une chanteuse*

⚠️ N'ont pas de féminin : *un policier, un pompier, un médecin…*

▶ n° 9 p. 111

Action!

8

EN PETITS GROUPES. **Écris ton profil : parle de tes passions, de tes qualités et de tes savoir-faire. Échangez vos profils et donnez des idées de professions à vos camarades.**

Je suis à l'aise en public et je suis créatif. Je sais chanter.

Tu peux être chanteur !

Tu peux être acteur !

134 VOCABULAIRE

Les professions (f.) (2) DICO p. 119

un acteur / une actrice
un(e) architecte
un(e) graphiste
un infirmier / une infirmière
un pharmacien / une pharmacienne

un policier
un pompier
un réalisateur / une réalisatrice
travailler

Imaginons l'avenir

1 **Lis l'affiche et réponds.**

a. Quel est le sujet du concours ?

b. Qui sont Bastien, Julie et Amina ?

CONCOURS IMAGINE L'AVENIR !

Aujourd'hui, tu es collégien/collégienne, mais dans l'avenir, tu exerceras une profession. Beaucoup de ces professions n'existent pas encore ! Participe à notre concours et imagine une profession du futur !

Les trois gagnants de l'année dernière

Profweb par Bastien

Ce professeur ne travaillera pas dans une classe mais sur Internet. Les élèves habiteront dans des villes ou des pays différents et étudieront chez eux.

Médetech par Julie

Ce médecin soignera avec des nouvelles technologies. Tous les malades guériront.

Écribot par Amina

Cet écrivain racontera des histoires, mais un robot écrira ses livres.

Et alors, il dit...

2 Relis l'affiche de l'activité . Explique les noms des professions du futur imaginées par les trois gagnants.

> « Prof » parce que c'est un professeur et « web » parce qu'il ne travaillera pas dans une classe mais sur Internet.

Le futur simple

Les verbes en -*er* et en -*ir* comme *travailler* et *finir* : *travailler* + terminaison	Les verbes en -*re* comme *écrire* : *écrire* + terminaison
je travaille**rai**	j'écri**rai**
tu travaille**ras**	tu écri**ras**
il/elle/on travaille**ra**	il/elle/on écri**ra**
nous travaille**rons**	nous écri**rons**
vous travaille**rez**	vous écri**rez**
ils/elles travaille**ront**	ils/elles écri**ront**

▶ n° 5 et 10 p. 110-111

PHONÉTIQUE

Le *e* caduc

Écoute et lis. Est-ce qu'on prononce le *e* ?
a. je travaillerai
b. ils habiteront
c. elle racontera

▶ n° 11 p. 111

3 💬 PAR DEUX. Imaginez : comment travailleront ces professionnels du futur ?

un(e) polinet   un(e) artistech

un(e) pharmarob   un(e) vétériweb

> Un(e) polinet, c'est un policier. Il/Elle exercera sa profession sur Internet.

4 Écoute Flore et Enzo. De quoi ils parlent ?

5 Réécoute. Quelle profession ils désirent faire ?

Pour exprimer un désir

J'aimerais <u>être</u> écribot.

6 **Écoute encore. Vrai ou faux ? Justifie tes réponses.**
a. Flore ne fera rien de la journée.
b. Enzo aura un robot.
c. Pour Enzo, la vie de Flore sera intéressante.
d. Enzo pourra faire le tour du monde.
e. Enzo ira travailler dans une école.

 Quelques verbes irréguliers au futur simple

aller → j'**irai**, tu **iras**, il/elle/on **ira**, nous **irons**, vous **irez**, ils/elles **iront**

avoir → j'**aurai**, tu **auras**, il/elle/on **aura**, nous **aurons**, vous **aurez**, ils/elles **auront**

être → je **serai**, tu **seras**, il/elle/on **sera**, nous **serons**, vous **serez**, ils/elles **seront**

faire → je **ferai**, tu **feras**, il/elle/on **fera**, nous **ferons**, vous **ferez**, ils/elles **feront**

pouvoir → je **pourrai**, tu **pourras**, il/elle/on **pourra**, nous **pourrons**, vous **pourrez**, ils/elles **pourront**

▶ n° 12 p. 111

Action !

7 EN PETITS GROUPES. **Imaginez un avenir idéal (profession, vie…). Partagez vos réponses avec la classe.**

> Moi, j'aimerais être acteur ! Je serai célèbre et riche…

> Moi, j'aimerais être médecin. Je sauverai des vies…

VOCABULAIRE

Le concours
un(e) gagnant(e)
participer

CULTURES

PROFESSION : ARTISTE

ILS ONT FAIT DE LEUR PASSION LEUR PROFESSION !

TILT

Il est passionné de street art. Sa spécialité : les « bubble letters », des lettres rondes. Aujourd'hui, c'est un graffeur célèbre dans le monde entier. Il fait des graffitis sur les murs des villes, mais aussi sur des voitures, des meubles…

MIGUEL CHEVALIER

Fou d'informatique et de technologie, il est devenu artiste numérique. Il a créé des œuvres numériques, riches en couleurs, dans le monde entier. En 2014, il a proposé une création numérique, *L'Origine du monde*, sur le Grand Palais à Paris. Il propose aussi des œuvres numériques pour téléphones et tablettes.

NAURIEL

Elle est passionnée de dessin et elle a choisi de devenir dessinatrice de B.D. Sa série *Nanami*, de style « manfra » (de *manga* et *francophone*), raconte les aventures d'une adolescente timide. Un jour, elle trouve un livre magique et tombe dans un monde fantastique.

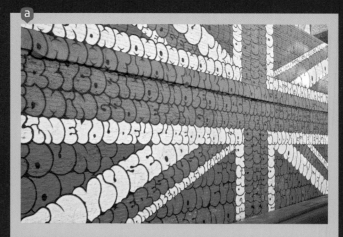

a

b

c

d

26

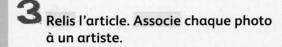

EN PETITS GROUPES

1 Vous connaissez des personnes qui ont fait de leur passion leur profession ? Discutez puis partagez avec la classe.

3 Relis l'article. Associe chaque photo à un artiste.

2 Lis l'article et trouve :
• la profession de chaque artiste ;
• leur passion.

PAR DEUX

4 Observez les photos et choisissez votre œuvre préférée. Expliquez pourquoi à la classe.

ENSEMBLE POUR...
imaginer une profession du futur

1 EN PETITS GROUPES Inventez une profession du futur.

> Un avocabot !

2 Faites la liste des qualités et des savoir-faire nécessaires pour exercer cette profession.

> Il faut être à l'écoute des robots, savoir parler en public...

3 Décrivez comment il/elle exercera sa profession. Faites un dessin pour l'illustrer.

> L'avocabot étudiera le droit des robots et il les aidera quand ils auront des problèmes avec la police...

4 Présentez votre profession du futur aux autres groupes.

> Un avocabot, c'est un avocat pour robots. Dans le futur, il y aura beaucoup de robots et ils auront besoin d'un avocat...

LA CLASSE DONNE SON AVIS SUR...

LA PROFESSION   +   ++   ++

LA DESCRIPTION   +   ++   ++

... ET VOTE POUR LA PROFESSION LA PLUS ORIGINALE.

VIDÉO ▶
SÉQUENCE 8

Entraînement

👥 Entraînons-nous

▸ Les professions (1)

1 PAR DEUX. Trouve la profession correspondant à chaque dessin.

a

d

b

e

c

f

> a. Un ou une vétérinaire !

▸ Les filières / L'orientation

2 EN PETITS GROUPES. Lisez les mots suivants et cachez-les. Choisis un mot. Tes camarades proposent des lettres pour le deviner.

La santé | Les sciences | La communication
Le droit | L'avenir | Les technologies
La scolarité

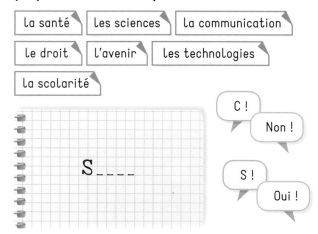

> C !
> Non !
> S !
> Oui !

S _ _ _ _ _

▸ Parler de ses passions

3 EN PETITS GROUPES. Mime une de tes passions. Tes camarades la devinent.

> Tu es passionné/fou de jeux vidéos !

▸ Le verbe *savoir*

4 EN PETITS GROUPES. Choisis un pronom. Les autres disent la forme correcte du verbe *savoir* le plus rapidement possible.

je | tu | il | elle | on | nous
vous | ils | elles

▸ Le futur simple

5 EN PETITS GROUPES. Jouez au jeu de l'oie. Conjuguez les verbes au futur à la personne donnée.

1 travailler je	2 écrire ils	3 écouter tu	4 aimer elle	Rejoue	5 choisir vous
					6 danser elles
15 guérir elles	16 monter tu	17 prendre nous	18 dépenser je		7 manger on
14 détester nous					8 lire je
13 chanter vous	12 prendre on	Retourne case 5	11 préférer tu	10 naître il	9 jouer elles

👤 Entraîne-toi

▶ **Les arts**

6 Associe les arts et les photos.

| le street art | les arts visuels |
| les arts numériques | les arts du cirque |

▶ **PHONÉTIQUE. Les sons [d] et [t]**

7 Écoute. Combien de fois tu entends le son [d] et le son [t] ?

 141

▶ **Décrire des qualités**

8 Complète avec *je suis* ou *j'ai*.

... patiente et organisée.

... de l'imagination.

... à l'écoute des autres.

... à l'aise en public.

... le goût de l'aventure.

... très créative.

▶ **Le masculin et le féminin des professions (2)**

9 Écoute. Tu entends le masculin, le féminin ou les deux ? Associe chaque profession à une photo.

 142

1 ▶ *Féminin → e.*

▶ **Le futur simple**

10 Transforme les verbes au futur simple.

▶ *Je travaille dans une école.*
  > Je travaillerai dans une école.

a. Tu finis ta scolarité.
b. Il raconte des histoires vraies.
c. Nous choisissons notre filière.
d. Elle gagne beaucoup d'argent.
e. Vous vendez des voitures.
f. Elles voyagent dans le monde entier.

▶ **PHONÉTIQUE. Le *e* caduc**

11 Lis les phrases suivantes sans prononcer les *e* caducs. Puis écoute pour vérifier.
143
a. Tu aimeras l'avenir.
b. Vous travaillerez tous les jours.
c. Je voyagerai beaucoup.
d. Nous porterons des vêtements du futur.
e. Vous exercerez la profession de médecin.

▶ **Quelques verbes irréguliers au futur simple**

12 Retrouve dans la liste cinq verbes irréguliers et conjugue-les au futur simple.

aimer — prendre — aller
faire — avoir — être
jouer — écrire — réussir
pouvoir

Évaluation

1 **Écoute l'enquête et réponds.**

a. Quel est le sujet de l'enquête ?

b. Quelle est la question du journaliste ?

c. Quelle profession désirent faire les ados interrogés ? Choisis les photos correctes.

d. Quelle est leur passion ?

e. Quelle(s) qualité(s) ils ont ou ils n'ont pas ?

.../5

2 💬 **PAR DEUX. Choisis une profession. Dis à ton/ta camarade quelles qualités et quels savoir-faire il faut avoir pour l'exercer. Il/Elle devine la profession.**

vétérinaire   dessinateur/dessinatrice

policier   professeur(e)   scientifique

.../5

> IL/Elle est patient(e), il/elle aime les animaux et il/elle sait les soigner.
>
> Un(e) vétérinaire !

3 📖 **Lis l'e-mail de Clémence. Vrai ou faux ?**

⚫⚫⚫ 🔽 📄 📎 ✉

De : Clémence

À : Thomas

Salut Thomas !
J'aimerais participer au concours « Imagine l'avenir » avec toi. Il faut imaginer une profession du futur. Toi, tu sais dessiner et moi, j'ai de l'imagination. J'inventerai la profession, j'écrirai le texte et toi tu feras le dessin.
Demain je serai à l'école à 8 h, et toi ? On parlera du concours, d'accord ?
Bises,
Clémence

a. Clémence écrit à Thomas parce qu'elle veut participer au concours « Imagine l'avenir » avec lui.

b. Clémence a de l'imagination.

c. Ils inventeront la profession ensemble.

d. Clémence fera le texte et Thomas le dessin.

e. Clémence propose un rendez-vous chez elle pour parler du concours.

.../5

4 ✏ **Thomas ne veut pas participer au concours « Imagine l'avenir » : pour lui, il n'a pas les qualités et les savoir-faire. Écris sa réponse à Clémence.**

.../5

.../20

> Prêts pour le niveau 3 ?

1 ## Compréhension de l'oral

Lis les questions. Écoute deux fois l'annonce à la radio puis réponds aux questions.

a. Qui utilise souvent les centimes ?
1. Les consommateurs.
2. Les commerçants.
3. Les hôpitaux.

b. Qu'est-ce qui coûte très cher ?

c. Avec le distributeur Centiméo, on peut…
1. obtenir des billets.
2. acheter des produits.
3. économiser de l'argent.

d. Où peut-on trouver des distributeurs Centiméo ? (*Plusieurs réponses possibles, deux réponses attendues.*)

e. Où va-t-on installer les distributeurs Centiméo ?
1. Dans des cafés parisiens.
2. Dans des universités parisiennes.
3. Dans les transports en commun parisiens.

 .../10

2 ## Compréhension des écrits

**Tu es au collège en France. Avec ta classe, vous allez visiter le salon des Métiers.
Lis le programme des ateliers et choisis un atelier pour chacun de tes camarades.**

ATELIER 1
► Vous avez toujours rêvé de devenir vétérinaire ? Cet atelier propose une mise en situation avec des chiens et des chats.

ATELIER 2
► Vous n'avez pas peur de faire de longues études et vous aimez sauver des vies ? Venez découvrir le métier de médecin.

ATELIER 3
► Participez à cet atelier et découvrez le métier d'architecte. Vous pourrez montrer vos dessins à des professionnels du métier.

ATELIER 4
► Venez découvrir les métiers du Web dans cet atelier où vous pourrez utiliser de nouvelles technologies.

ATELIER 5
► Vous êtes passionné de B.D. et vous savez dessiner ? Pourquoi ne pas devenir dessinateur professionnel ?

a. Ludovic est un passionné d'informatique. → Atelier n° …
b. Sidonie dessine tout le temps des maisons, des immeubles. → Atelier n° …
c. Stéphane adore les bandes dessinées et il dessine très bien. → Atelier n° …
d. Jeannette est à l'écoute des autres et aimerait travailler dans un hôpital. → Atelier n° …
e. Julie est très bonne en sciences et elle aime soigner les animaux. → Atelier n° …

.../10

Production écrite

Hier après-midi, tu es allé(e) avec ta classe au salon des Métiers. Tu as assisté à plusieurs ateliers. Tu écris à un(e) ami(e) français(e) pour lui raconter ta journée (quels métiers tu as vus, découverts). Tu lui donnes tes impressions sur cette journée et ces rencontres. (60 mots minimum)

.../10

Production orale

Exercice 1 ▶ pour s'entraîner à la partie 1 de l'épreuve orale : l'entretien dirigé   ... /2

Tu te présentes. Tu parles de toi, de tes goûts, de tes activités préférées. Tu dis ce que tu as fait en classe la semaine dernière. Tu racontes ce que tu voudrais faire comme métier(s) plus tard.

Exercice 2 ▶ pour s'entraîner à la partie 2 de l'épreuve orale : le monologue suivi   ... /4

Au choix :

L'ARGENT DE POCHE

Est-ce que c'est important de recevoir de l'argent de poche ? Est-ce que tu comprends les parents qui ne donnent pas d'argent de poche ?

MA PASSION

Quelle est ta passion ? Explique pourquoi c'est une passion pour toi. Aimerais-tu faire de ta passion ton futur métier ? Pourquoi ?

Exercice 3 ▶ pour s'entraîner à la partie 3 de l'épreuve orale : l'exercice en interaction   ... /4

Au choix et par deux :

PETITS SERVICES

Un(e) de tes ami(e)s français(es) ne reçoit pas d'argent de poche. Tu lui poses des questions pour savoir pourquoi il/elle n'a pas d'argent de poche et tu lui fais des propositions de petits services qu'il/elle pourrait rendre à ses parents pour recevoir un peu d'argent chaque semaine.

QUEL MÉTIER ?

Tu parles avec ton/ta correspondant(e) français(e) de métiers qui vous intéressent. Vous cherchez quelles qualités sont nécessaires pour les exercer, quels sont les aspects positifs et négatifs de ces métiers.

.../10

.../40

Dico visuel

les transports en ville

une voiture

une trottinette

un bus

un métro

un tramway (= un tram)

les lieux de la ville

une gare

un hôpital

un musée

un parc / un jardin

un stade

une cathédrale

un château

un hôtel de ville

un monument

une place

un pont

un quartier

une rue

la sécurité

un feu (rouge/vert)

une piste cyclable

une route

un trottoir

une voie (de tramway)

le centre commercial

une boulangerie

un café

un cinéma

une librairie

un magasin de vêtements / de chaussures

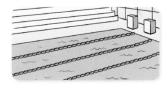
une piscine

un restaurant

un supermarché

Dico visuel

ÉTAPE 2

les aliments

une carotte · des haricots verts · une salade · une tomate · une orange · une pomme

les céréales · des frites · le fromage · un hamburger · l'huile · le pain

les pâtes · le poisson · le poulet · la viande · le riz · un yaourt

les boissons

l'eau · le jus de fruits · le lait · le soda

les repas

une entrée · un plat · un dessert

l'anniversaire

un bonbon · une fête · un gâteau

les ingrédients

le beurre · le chocolat · la farine · un œuf · le sel · le sucre (en poudre)

les sentiments et les sensations

la santé

en colère

content(e)

inquiet/inquiète

jaloux/jalouse

un accident

les pompiers

triste

pleurer

rigoler

avoir chaud / froid

les secours

avoir un bras cassé

avoir faim

avoir mal

avoir honte

avoir peur

être fatigué(e)

être malade

la presse et les médias

un appareil photo

une caméra

un dessinateur /
une dessinatrice

un(e) journaliste

un magazine

un micro

une tablette

un présentateur /
une présentatrice

un reporter

lire

un (gros) titre

la une
= la première page

Le Journal

EXCLUSIF !!!

un journal

un article

le fait divers

la police

voler

un témoin

Dico visuel

ÉTAPE 5

les héros

un aventurier /
une aventurière

un bandit

un cow-boy

un inventeur /
une inventrice

un guerrier /
une guerrière

un (super-)héros /
une (super-)héroïne

un magicien /
une magicienne

un prince /
une princesse

la célébrité

un film

un humoriste

un spectacle

la biographie

la naissance
(naître)

la vie
(vivre)

le monde du spectacle

la scène

applaudir

une pièce de théâtre

ÉTAPE 6

les animaux

une abeille

une baleine

un chien

un crocodile

un écureuil

un éléphant

une girafe

un manchot

un oiseau

un ours

un panda

un requin

un tigre

une tortue

la nature

un arbre

une forêt

le vent

cueillir

les déchets

une poubelle

les déchets

le jardin

la terre

couper

planter

l'argent

payer

une banque

des billets

la monnaie
(rendre)

des pièces

une tirelire
(des économies)

les objets

un cadeau

un jouet

un réveil

la technologie

une application

une imprimante

un robot

rendre service

faire la vaisselle

faire le ménage

laver la voiture

promener/garder le chien

les professions

un acteur /
une actrice

un(e) architecte

un(e) avocat(e)

un(e) écrivain(e)

un(e) graphiste

un infirmier /
une infirmière

un(e) ingénieur(e)

un médecin

un pharmacien /
une pharmacienne

un(e) pilote

un policier

un pompier

un(e) professeur(e)

un réalisateur /
une réalisatrice

un(e) scientifique

un(e) vétérinaire

Les actes de parole

Pour parler de ses déplacements

Je vais au collège
{
en bus, en tramway, en métro,
en voiture, en transport en commun.
à pied, à trottinette, à vélo.
}

Je **passe par** le musée.

Pour indiquer un itinéraire

Tourne / Tournez **à droite** / **à gauche**.
Continue / Continuez **tout droit**.
Traverse / Traversez, prends / prenez le pont.
Traverse / Traversez la place / la rue.
Je suis **dans** la rue.
Je suis **sur** la place / le pont.

Pour organiser une sortie

Proposer
Tu veux / Vous voulez aller à la piscine ?
Tu veux venir ?

Accepter
Oui (O.K.), je veux bien !
Bonne idée !
D'accord !

Refuser
Non, je ne peux pas.
Non, je n'ai pas envie.

Pour exprimer la fréquence

une / deux fois par jour / par semaine
à chaque repas / à volonté

Pour exprimer une quantité

Les solides
1 **kilo de** carottes
200 **grammes de** sucre
1 **paquet de** bonbons
1 **morceau de** fromage
1 **tablette de** chocolat

Les liquides
1 **litre de** lait
1 **bouteille de** jus de fruits / d'**eau**

Pour exprimer un avis contraire

Elle est intelligente, **mais** elle n'est pas toujours naturelle !

Pour exprimer ses sensations et ses émotions

Avoir chaud, froid, faim
J'ai froid, j'ai chaud et je n'ai pas faim.

Avoir mal (à, au, aux)
J'ai mal au ventre.

Avoir honte, peur, besoin, envie (de)
J'ai honte.
J'ai peur de parler de ça.
J'ai besoin de rencontrer d'autres copains.
J'ai envie de pleurer.

Pour expliquer une situation

J'ai chaud ou j'ai froid **quand** je parle à un élève de ma classe.
= **Quand** je parle à un élève de ma classe, j'ai chaud ou j'ai froid.

Pour parler de la santé et des secours

être fatigué(e) / malade
avoir un bras / une jambe cassé(e)
avoir un handicap
aller chez le médecin / à l'hôpital
(se) soigner
appeler les pompiers / le 18
porter secours

Pour donner son avis

C'est indispensable.
C'est important.
C'est sans importance.

Pour exprimer son étonnement

C'est incroyable ! / C'est dingue ! / C'est fou !

Pour situer un événement dans le passé

Hier / La semaine dernière / L'année dernière, un enfant de huit ans a créé un jeu vidéo.

Pour dire le siècle

premier / deux**ième** / trois**ième** / quatr**ième** / cinqu**ième** / etc.
au dix-neuvième (XIXe) siècle / au vingtième (XXe) siècle / au vingt et unième (XXIe) siècle

Pour situer dans le temps

avant les vacances
pendant les vacances
après l'événement

Pour indiquer la chronologie

Au début, j'ai eu très peur.
Finalement, j'ai réussi à jouer mon rôle.
D'abord, je n'ai rien fait. Mais **ensuite**, je suis allé le chercher.

Pour décrire la matière

une bouteille **en** plastique
une bouteille **en** verre
un mouchoir **en** papier

Pour exprimer l'obligation et l'interdiction

Il faut / Tu dois <u>utiliser</u> les poubelles pour tes déchets !
Il ne faut pas / Tu ne dois pas <u>cueillir</u> les fleurs !

Pour exprimer le présent continu

***Être en train de* + <u>infinitif</u>**

Qu'est-ce que vous **êtes en train de** <u>faire</u> ?

Pour décrire un objet

La forme
Il est **rond, en forme de** balle.
Il a **un côté plat**.

La fonction
Il / Ça ne **sert à** rien.
Elles **servent à** rouler.

Pour comparer avec *plus* et *moins*

Avec un <u>adjectif</u> ou un <u>adverbe</u>
Tu es **plus <u>riche</u>** (que le mois dernier).
Tes devoirs ne sont pas **moins <u>importants</u>** (que ton argent).
J'ai rendu **plus <u>souvent</u>** service.

Avec un <u>nom</u>
J'ai acheté **plus** de <u>choses</u> (que le mois dernier).
Tu as dépensé **moins** d'<u>argent</u> (que le mois dernier).

Pour dire la profession

***être* + profession**
Je rêve d'**être** médecin.

Pour parler de ses passions

La chanson, **c'est ma passion**.
Je suis passionné(e) de bandes dessinées.
Je suis fou / folle de cinéma.

Pour parler de ses savoir-faire

***savoir* + <u>infinitif</u>**
Je **sais** <u>dessiner</u>.

Pour décrire des qualités

Je **suis**
- à l'aise en public.
- à l'écoute des autres.
- créatif / créative.
- courageux / courageuse.
- motivé(e).
- organisé(e).
- patient(e).

J'**ai**
- de l'imagination.
- le goût de l'aventure.

Pour exprimer un désir

J'aimerais <u>être</u> écribot.

Précis grammatical

Les déterminants

Les articles partitifs
Pour exprimer une quantité indéterminée, on utilise les articles partitifs.

Masculin	Féminin	Pluriel
Il y a **du** chocolat.	Il y a **de la** farine.	Il y a **des** œufs.
	Il y a **de l'**eau.	

 Il n'y a pas **de** chocolat / **de** farine / **d'e**au / **d'**œufs.

Les noms

Le masculin et le féminin des noms de professions

Masculin	Féminin
un infirmi**er**	une infirmi**ère**
un pharmac**ien**	une pharmac**ienne**
un ac**teur**	une ac**trice**
un architect**e**	une architect**e**

 *Un chant**eur** / une chant**euse**.*
N'ont pas de féminin : ***un** policier, **un** pompier, **un** médecin.*

Les adjectifs qualificatifs

La place des adjectifs qualificatifs
- En général, les adjectifs qualificatifs se placent après le nom.
  les cadeaux **gratuits**
  un cadeau **sympa**

- Mais quelques adjectifs courants se placent souvent avant le nom.

de **grandes** idées	un **petit** porte-monnaie	une **nouvelle** application
une **bonne** idée	un **vieux** jouet	un **gros** cadeau

 *Beau = **bel** devant une voyelle.*
*un **bel** album*

Les pronoms

Les pronoms Compléments d'Objet Direct *le, la, les, l'*

COD masculin	Je ne rencontre jamais **mon copain** seul.	Je ne **le** rencontre jamais seul.
	J'aime bien **mon copain**.	Je **l'**aime bien.
COD féminin	Je ne déteste pas **ma nouvelle vie**.	Je ne **la** déteste pas.
	J'aime bien **ma classe**.	Je **l'**aime bien.
COD pluriel	On aime **nos vrais amis** comme ils sont.	On **les** aime comme ils sont.

 Avec un infinitif : *Tu <u>vas</u> **l'**aimer.*

Les pronoms Compléments d'Objet Indirect *lui, leur*

COI singulier	Tu réponds non à ta voisine.	Tu lui réponds non.
COI pluriel	Tu ne demandes rien à tes parents.	Tu ne leur demandes rien.

 Les pronoms COI *lui* et *leur* répondent à la question : *À qui ?*

La place des pronoms COD et COI

Au présent	
Je **le** rencontre. Je **lui** demande.	Je **ne le** rencontre **pas**. Je **ne lui** demande **pas**.
Au passé composé	
Je **l'**ai rencontré. Je **lui** ai demandé.	Je **ne l'**ai **pas** rencontré. Je **ne lui** ai **pas** demandé.
Au futur proche	
Je vais **le** rencontrer. Je vais **lui** demander.	Je **ne** vais **pas le** rencontrer. Je **ne** vais **pas lui** demander.

Les pronoms indéfinis *quelque chose, rien, quelqu'un, personne*

	Forme affirmative	Forme négative
Pour parler d'une personne	**Quelqu'un** est célèbre dans ta famille ?	**Personne** n'est célèbre dans ma famille.
Pour parler d'une chose	C'est simple d'inventer **quelque chose** de génial.	On n'invente **rien** d'important ou de génial.

 *Quelqu'un, personne, quelque chose, rien + **de** + <u>adjectif</u> : quelque chose **de** <u>génial</u> / **d'**<u>important</u>.*

Les verbes

Le présent des verbes en *-ger*
Ils prennent un **-e** devant la terminaison de la première personne du pluriel.
Nous mang**eons** / Nous partag**eons** un gâteau.

Le présent des verbes du 2ᵉ groupe
Les verbes du 2ᵉ groupe ont un infinitif en **-ir**. Exemples : *finir, choisir, grandir, guérir, nourrir*, etc.

Radical du verbe { + **terminaisons**

fin(ir) {
-is
-is
-it
-issons
-issez
-issent

Le passé composé avec *avoir*
On utilise le passé composé pour parler d'événements passés.
Il se forme en général avec *avoir* au présent + un verbe au participe passé.

● Les verbes du 1ᵉʳ groupe ont un participe passé en **-é**.

Avoir au présent	Participe passé en -é
j'ai tu as il/elle/on a nous avons vous avez ils/elles ont	achet**é**

- Les verbes du 2ᵉ groupe ont un participe passé en **-i**.

Avoir au présent	Participe passé en *-i*
j'ai tu as il/elle/on a nous avons vous avez ils/elles ont	fini

- Beaucoup de verbes du 3ᵉ groupe ont des participes passés irréguliers.

avoir → eu	faire → fait	pouvoir → pu	voir → vu
être → été	lire → lu	prendre → pris	

Le passé composé avec *être*

- Au passe composé, on utilise l'auxiliaire *être* pour :
  - 14 verbes (et leurs dérivés) : *naître (né), mourir (mort), aller (allé), partir (parti), venir (venu), passer (passé), monter (monté), descendre (descendu), retourner (retourné), entrer (entré), sortir (sorti), arriver (arrivé), rester (resté), tomber (tombé)* ;

    Il **est né** dans le Nord de la France.

    Il **est parti** en tournée.

  - les verbes pronominaux.

    Ils **se sont amusés**.

- On accorde le participe passé avec le sujet (au féminin et au pluriel).

  La **vidéo** est sort**ie** le 4 septembre 2014.   **Ils** sont all**és** vivre à Paris.

 Il(s) est/sont mort(s). Elle(s) est/sont *morte(s)*. → On prononce le « t » de .

L'impératif négatif

Forme affirmative	Forme négative
Donne des informations personnelles ! **Va** sur les réseaux sociaux !	**Ne donne pas** trop d'informations personnelles ! **Ne va pas** sur tous les réseaux sociaux !
	N'utilise pas ton vrai nom !

Le futur simple

- Les verbes réguliers se construisent selon le schéma suivant.

Les verbes en *-er* et en *-ir* Exemples : *travailler, finir*		Les verbes en *-re* Exemples : *écrire, prendre*	
Infinitif du verbe	+ **terminaisons**	Infinitif du verbe sans le *-e*	+ **terminaisons**
travailler- finir-	-ai -as -a -ons -ez -ont	écrir- prendr-	-ai -as -a -ons -ez -ont

- Les verbes irréguliers ont la même terminaison que les verbes réguliers.

  être → je **ser**ai, tu **ser**as, il/elle/on **ser**a, nous **ser**ons, vous **ser**ez, ils/elles **ser**ont

  avoir → j'**aur**ai, tu **aur**as, il/elle/on **aur**a, nous **aur**ons, vous **aur**ez, ils/elles **aur**ont

  aller → j'**ir**ai, tu **ir**as, il/elle/on **ir**a, nous **ir**ons, vous **ir**ez, ils/elles **ir**ont

  faire → je **fer**ai, tu **fer**as, il/elle/on **fer**a, nous **fer**ons, vous **fer**ez, ils/elles **fer**ont

  pouvoir → je **pourr**ai, tu **pourr**as, il/elle/on **pourr**a, nous **pourr**ons, vous **pourr**ez, ils/elles **pourr**ont

La phrase interrogative

- La question avec *combien*

  Combien de/d' + **nom**

  Combien de produits sucrés je peux manger ?

  Vous conseillez de boire **combien de litres** d'eau par jour ?

  Il y a **combien d'œufs** dans ce gâteau ?

- La question formelle

Pour poser une question formelle, on inverse le sujet et le verbe	Question informelle ou standard
As-tu un ordinateur ?	**Tu as** un ordinateur ? **Est-ce que tu as** un ordinateur ?
Que fais-tu sur Internet ?	**Tu fais quoi** sur Internet ? **Qu'est-ce que tu fais** sur Internet ?
Quand regardes-tu la télé ?	**Tu regardes** la télé **quand** ? **Quand est-ce que tu regardes** la télé ?

La condition avec *si* + présent

Condition (*si* + **présent**)	Résultat (**présent**)
Si on **recycle** le papier, Si on ne **coupe** pas d'arbres,	on ne **coupe** pas d'arbres pour le fabriquer. on **sauve** les forêts et les animaux.

Les adverbes de quantité

- un peu (de) < assez (de) < beaucoup (de) < trop (de)

  Prends un petit hamburger avec **un peu de** viande.

  Tu ne manges pas **assez de** légumes ?

  Il y a **beaucoup de** matières grasses.

  Il y a **trop de** sucre.

⚠ Il y a un peu / assez / beaucoup / trop **d'œufs** / **d'h**uile.

Les adverbes de fréquence

- toujours > souvent > parfois > jamais

  Je mange **toujours/souvent/parfois** des légumes.

  Je **ne** mange **jamais de** légumes.

- Déjà, jamais, pas encore

  As-tu / Tu as **déjà** joué dans un film ?

  Oui, j'ai **déjà** joué dans un film.

  Non, je n'ai **jamais** joué un rôle au cinéma.

  Es-tu / Tu es **déjà** passé à la télé ?

  Non, je **ne** suis **pas encore** passé à la télé.

Les prépositions de lieu

près (de)

loin (de)

en face (de)

devant

derrière

entre

 Du = article contracté *de + le*
Des = article contracté *de + les*
Je suis près **de la** *librairie /* **du** *restaurant /* **de l'**entrée */* **des** *magasins.*

Tableau de conjugaisons

	Présent	Passé composé	Futur simple
Être	je suis tu es il/elle/on est nous sommes vous êtes ils/elles sont	j'ai été tu as été il/elle/on a été nous avons été vous avez été ils/elles ont été	je serai tu seras il/elle/on sera nous serons vous serez ils/elles seront
Avoir	j'ai tu as il/elle/on a nous avons vous avez ils/elles ont	j'ai eu tu as eu il/elle/on a eu nous avons eu vous avez eu ils/elles ont eu	j'aurai tu auras il/elle/on aura nous aurons vous aurez ils/elles auront
Arriver	j'arrive tu arrives il/elle/on arrive nous arrivons vous arrivez ils/elles arrivent	je suis arrivé(e) tu es arrivé(e) il/elle/on est arrivé(e)(s) nous sommes arrivé(e)s vous êtes arrivé(e)(s) ils/elles sont arrivé(e)s	j'arriverai tu arriveras il/elle/on arrivera nous arriverons vous arriverez ils/elles arriveront
S'amuser	je m'amuse tu t'amuses il/elle/on s'amuse nous nous amusons vous vous amusez ils/elles s'amusent	je me suis amusé(e) tu t'es amusé(e) il/elle/on s'est amusé(e)(s) nous nous sommes amusé(e)s vous vous êtes amusé(e)(s) ils/elles se sont amusé(e)s	je m'amuserai tu t'amuseras il/elle/on s'amusera nous nous amuserons vous vous amuserez ils/elles s'amuseront
Prendre	je prends tu prends il/elle/on prend nous prenons vous prenez ils/elles prennent	j'ai pris tu as pris il/elle/on a pris nous avons pris vous avez pris ils/elles ont pris	je prendrai tu prendras il/elle/on prendra nous prendrons vous prendrez ils/elles prendront
Vouloir	je veux tu veux il/elle/on veut nous voulons vous voulez ils/elles veulent	j'ai voulu tu as voulu il/elle/on a voulu nous avons voulu vous avez voulu ils/elles ont voulu	je voudrai tu voudras il/elle/on voudra nous voudrons vous voudrez ils/elles voudront
Devoir	je dois tu dois il/elle/on doit nous devons vous devez ils/elles doivent	j'ai dû tu as dû il/elle/on a dû nous avons dû vous avez dû ils/elles ont dû	je devrai tu devras il/elle/on devra nous devrons vous devrez ils/elles devront
Mettre	je mets tu mets il/elle/on met nous mettons vous mettez ils/elles mettent	j'ai mis tu as mis il/elle/on a mis nous avons mis vous avez mis ils/elles ont mis	je mettrai tu mettras il/elle/on mettra nous mettrons vous mettrez ils/elles mettront
Savoir	je sais tu sais il/elle/on sait nous savons vous savez ils/elles savent	j'ai su tu as su il/elle/on a su nous avons su vous avez su ils/elles ont su	je saurai tu sauras il/elle/on saura nous saurons vous saurez ils/elles sauront
Pouvoir	je peux tu peux il/elle/on peut nous pouvons vous pouvez ils/elles peuvent	j'ai pu tu as pu il/elle/on a pu nous avons pu vous avez pu ils/elles ont pu	je pourrai tu pourras il/elle/on pourra nous pourrons vous pourrez ils/elles pourront

ÉTAPE 1

p. 11 (bas de page) : © Laurène Bourdais/**PHOTONONSTOP** – p. 14 : © Blue Jean Images/**GETTY IMAGES** – p. 18 (5) : © Josie Elias/**GETTY IMAGES** – p. 21 (a) : © Gardel Bertrand/Hemis/**CORBIS**

ÉTAPE 2

p. 23 (photo de fond) : © Rick Gayle Studio/**CORBIS** – p. 25 : © Mel Yates/**GETTY IMAGES** – p. 30-31 : © Lutti – p. 33 (c) : © Weseetheworld/**FOTOLIA**

ÉTAPE 3

p. 44 : Campagne Médecins du Monde © DDB Paris – p. 44 : © Gaëlle Bouché/Handicap International – p. 44 : Affiche Action contre la faim : © Panik Grafik/Nicolas Ripoll – p. 44 : Affiche Secours populaire : © Secours populaire

ÉTAPE 4

p. 54 (bas de page – a, b, c) : © **RUE DES ARCHIVES**/Everett – p. 57 (Cyril Hanouna) : © Eric Fougere/VIP Images/**CORBIS**

ÉTAPE 5

p. 63 (bas de page) : © Julie Lemberger/**CORBIS** – p. 64 (document 1 – Jeanne d'Arc) : © Leemage/**CORBIS** – p. 64 (document 1 – Louis Braille) : © AS400 DB/**CORBIS** – p. 64 (activité 2 – a) : © **RUE DES ARCHIVES**/Granger – p. 64 (activité 2 – c) : © Munson John/Star Ledger/**CORBIS** – p. 64 (activité 4 – Arthur Rimbaud) : © Stefano Bianchetti/**CORBIS** – p. 64 (activité 4 – Wolfgang Amadeus Mozart) : © Leemage/**CORBIS** – p. 64 (activité 4 – Sheet Music with Mozart's Signature) : © AS400 DB/**CORBIS** – p. 64 (activité 4 – Blaise Pascal) : © Alfredo Dagli Orti/The Art Archive/**CORBIS** – p. 64 (activité 4 – Calculator) : © Dave King/Dorling Kindersley Ltd./**CORBIS** – p. 65 (1 et b) : *Captain Biceps* Tome 01 par Zep et Tébo © Éditions Glénat, 2004 – p. 65 (2 et e) : Léonard - Turk, De Groot © LE LOMBARD (Dargaud – Lombard s.a.), 2016 – p. 65 (3 et c) : Jadina : *Les Légendaires*, volumes 1 à 18, Sobral/© Éditions Delcourt, 2016 – p. 65 (4 et a) : Thorgal : Rosinski, Van Hamme © LE LOMBARD (Dargaud – Lombard s.a.), 2016 – p. 65 (5 et d) : Les Daltons : © Lucky Comics, 2016 – p. 66-67 : Norman : © Norman / Ma vie en dessin – p. 67 (Louis et Auguste Lumière) : © Sygma/**CORBIS** – p. 67 (photo de droite) : © National Media Museum, Bradford, West Yorshire/**BRIDGEMAN IMAGES** – p. 70 (Alain Lombard) : © Charles Hewitt/**GETTY IMAGES** – p. 70 (Philippe Croizon) : © Olivier Hoslet/epa/**CORBIS** – p. 71 (Sipderman) : © **RUE DES ARCHIVES**/Everett – p. 72 (activité 5 – 1 et 4) : © **RUE DES ARCHIVES**/Everett – p. 72 (activité 5 – 2) : © Quadrillion/**CORBIS** – p. 72 (activité 5 – 3) : © **RUE DES ARCHIVES**/The Mary Evans Picture Library – p. 72 (activité 5 – 5) : © Patrick Escudo/Hemis/**CORBIS** – p. 72 (activité 5 – 6) : © DILTZ/**BRIDGEMAN IMAGES** – p. 74 : © Eric Preau/Sygma/**CORBIS**

ÉTAPE 6

p. 78 : © Alex Treadway/National Geographic Creative/**CORBIS** – p. 80 (photo 1) : © Kristian Sekulic/**GETTY IMAGES** – p. 82 (haut – droite) : © ZooParc de Beauval – p. 86 (activité 1 – 1) : © Olivier Bahier, Bertrand Bechard, Daniel Garandeau, Gaël Arnaud/Terrabotanica – p. 86 (activité 1 – 2) : © Parc des oiseaux – p. 86 (activité 3 – 1) : © MEDASSET – p. 86 (activité 3 – 2) : © Jeff Rotman/**GETTY IMAGES**

ÉTAPE 7

p. 91 (document 3) : Les Guides Junior tome 12, par Goupil, Douyé et Miller © Éditions Glénat/Vents d'Ouest, 2010 – p. 96 (La fontaine) : © Hulton-Deutsch/Hulton-Deutsch Collection/**CORBIS**

ÉTAPE 8

p. 108 (a) : © Quentin Bargate/Loop Images/**CORBIS** – p. 108 (b) : © Kristy Sparow/Contributeur/**GETTY IMAGES** – p. 108 (c) : Couverture Nanami : Nauriel, Sarn, Corbeyran © DARGAUD BENELUX (Dargaud – Lombard s.a.), 2016 – p. 108 (d) © Kristy Sparow/Getty Images Entertainment/**GETTY IMAGES** – p. 112 (6) : © Emmanuel Faure/**GETTY IMAGES**

VIDÉO SÉQUENCE 5, CÉLÉBRITÉS !

GETTY Claudie Haigneré © Getty Images/Employé ; Omar Sy © Anthony Harvey ; Jamel Debbouze © Foc Kan ; Renaud Lavillenie © Ian Walton ; Malala © Karwai Tang.

Autres photos : Shutterstock.

Nous avons fait notre possible pour obtenir les autorisations de reproduction des documents publiés dans cet ouvrage. Dans le cas où des omissions ou des erreurs se seraient glissées dans nos références, nous y remédierons dans les éditions à venir.

Achevé d'imprimer par L.E.G.O. S.p.A. - Italie
Dépôt légal : Janvier 2019 - Collection n° 60 - Édition 08
19/1634/0